サヨナライツカ

辻 仁成

幻冬舎文庫

サヨナライツカ

Sayonara, toujours près de moi

目次

サヨナライツカ

いつも人はサヨナラを用意して生きなければならない
孤独はもっとも裏切ることのない友人の一人だと思うほうがよい
愛に怯える前に、傘を買っておく必要がある
どんなに愛されても幸福を信じてはならない
どんなに愛しても決して愛しすぎてはならない
愛なんか季節のようなもの
ただ巡って人生を彩りあきさせないだけのもの
愛なんて口にした瞬間、消えてしまう氷のカケラ

サヨナライツカ

永遠の幸福なんてないように
永遠の不幸もない
いつかサヨナラがやってきて、いつかコンニチワがやってくる
人間は死ぬとき、愛されたことを思い出すヒトと
愛したことを思い出すヒトとにわかれる

私はきっと愛したことを思い出す

第一部　好青年

第一章

第一印象は信用できない。

一九七五年の八月終わりのこと。東垣内豊《ひがしがいとうゆたか》ははじめて沓子《とうこ》を見たその瞬間、この女性が後の彼の人生にこれほど長い期間、一筋の淡いセンチメントの光を注ぎ続けてくることになろうなどとは、まったくと言っていいほど想像することができなかった。目と目が合った時にも、運命などというものはまったく感じられなかったし、或いは印象というものさえも残らないほどに、彼には彼女が見えてはいなかった。

友人の木下常久《きのしたつねひさ》に沓子を紹介された時も、二言三言の会話が短く交わされただけで、そこから何かが生まれるような気配はまったくと言っていいほどに彼には感じられなかった。なにせ豊の頭の中は婚約者尋末光子《たずすえみつこ》のことでいっぱいだったからである。

これが光子との結婚を仲間たちに報告するためのめでたい席でなければ、三十歳を目前にしたこの旺盛な年頃に、会釈だけで終わることはなかっただろう。それはその日、そこにいた豊以外の全ての男性たちの視線を、沓子が一身に浴びていたことからも明らかなことだった。彼女は艶《つや》やかな肌と漆黒の髪の毛とまるで響き合うように輝く二つの水晶に似た瞳を持っていた。あの時代にしては非常に洗練された服を纏《まと》い、ノースリーブのワンピースから生えるように突き出た二本の腕は無駄な贅肉がまったくなく見事にしまっていて、両手首のプラチナの腕輪がフェティッシュに輝いていたせいもあったが、彼女の裸体を想像させるに十分な色っぽさであった。

結婚式の日取りなど細かなことを全て決めて東京からここバンコクに戻ってきたばかりでもあった。幼い頃から厳格な父親に、結婚とは受験や就職よりも人生にとって重要な影響があるものだ、と教えられて育ってきた。地質学の権威でもあるこの父親の威厳を仰ぎ見ながら育った豊は、その教えを忠実に守り、学生時代から嫁探しに努めた。もともと背も高く、容姿だけは非常に恵まれて生まれた青年だったので女性には不自由しなかった。

あいつがお前に一目惚れしたと言ってるんだがな、と木下が冷やかし半分ともとれる酔眼で、豊の切れ長の目を覗き込んで言った時、豊の脳裏には東京を発つ前夜の帝国ホテルでの光子との甘い夜の逢瀬が艶《なま》めかしく過《よぎ》っては心を切なく締め上げてくるのだった。できれば今すぐにでも東京に戻って、また光子を抱きしめたかった。

光子は、決して美人というわけではなかったが、どちらかと言えば仕種や雰囲気が可愛らしい人で、しかも父が教鞭を執《と》る東京大学の大学院を出たばかり、フランスやイタリアの芸術全般の知識にも長《た》け、話も飽きず、だからといってそれをひけらかすわけでもなく、奥ゆかしさは旧華族出身の母親譲りとでもいうのか、実に謙虚だった。しかも家族の愛情をたっぷりと注がれ大切に育てられたためか、極めてエレガント。明るさと素直さは申し分がなく、育ちに関しても非の打ち所がないというわけで、逆にそういう完全さが唯一の欠点のような才色兼備な女性でもあった。

いつだって一歩も二歩も引いたところからものを言いながらも、その声はきちんと聞こえてくるという才女ぶりが、石橋を叩いて世の中を渡ってきた豊の心をも引き止め、結婚するならこういう人じゃなければだめだ、とはじめて一人の女性に的を絞り込むことができた貴重な相手でもあった。そして何より光子は豊の父親、豊が心の底から尊敬する東垣内敏郎《としろう》の目にも適《かな》った最初の女性でもあったのだ。

その光子との婚約を報告する集まりに、どうして沓子がいたのかは、豊には分からなかった。日本人会青少年部の顔役でもある木下がどこかで見つけて、多分、男ばかりの垢抜けない集まりに花を添える意図で連れてきたに違いなかったが、豊にとっては少なくともその時点においては、どうでもいいことでもあった。

その店『ザクロ』は、日本人がオーナーのピアノバーで、バンコクの中心的な歓楽街パッポンのど真ん中にあり、客は全て日系企業に勤める日本人、しかも男性がほとんどであった。薄暗い店内には、日本の流行歌が薄く流され、居酒屋風の手書きの品書きが壁に乱雑に貼られ、望郷の念にかられる若い企業戦士たちにとっては一九七五年当時、バンコクでは唯一の憩いの場でもあった。明治時代から日本とは縁の深いタイ国ではあったが、当時この街に住む日本人は六千人ほどで、そう頻繁に日本とタイとを行ったり来たりできる時代ではなかったせいもあり、青年駐在員たちは会社の枠を超えてこうして集まっては同郷の者同士、交流を温めていた。

『ザクロ』には小さなカウンターが入り口のそばにあり、沓子はそこの背の高い椅子に一人腰掛け、低いテーブルを囲んでスクラムでも組むみたいに肩寄せ合って話す男たちを離れたところから眺めていた。木下が豊に沓子を紹介した時、それが合図となって、日本人会青少年部の若者たちは公に覗けなかった鬱憤を晴らすかの如く堂々と、一斉に沓子を振り返った。しかし彼女は男たちの視線を浴びながらも、いっこうにたじろぐ様子もなく、前よりましてまっすぐな視線を豊にだけ返したのだった。

カウンターの上から降り注ぐ青白い一条の光が、まるで舞台上の演出のように彼女を浮き上がらせ、男たちの肩越しに、豊は沓子の力強い瞳の力を浴びた。美人だね、と木下に呟いたのだから、何も感じなかったというわけではなかったが、そのどうでもいいような世辞も、次の瞬間には、誰かが光子との最後の夜のことを冷やかしたことで、豊の気持ちはあの甘い時間へと連れ戻されてしまい、心は四千六百キロも離れた東京へと飛んだ。

光子のぎこちないキスや愛撫にさえ、豊は非常に満足をしていた。むしろ彼女がベッドの中で不器用であればあるほど、豊はその経験の薄さに安堵を覚えた。自分が少しずつこの女性を開発し、磨いていくのだ、と考えてはいっそう光子をいとおしく思った。

東垣内も年貢の納め時だな、と青年たちは笑い、ますます沓子の存在は萎《しぼ》んでいった。豊は仲間たちに故国で待つ光子のことを伝えるうちに、自分の中にはっきりとした未来への熱を感じた。結婚とはどんなものか、とまた別の誰かが質問をしたので、豊ははっきりと、家族という舟を作る共同作業だ、と答え、またしても仲間たちの喝采を浴びた。楽しく、満たされた時間でもあった。仲間たちの顔からも笑みが絶えず、グラスは何度も宙で重なり合い、乾いた硝子の音色と、乾杯、と叫ぶのぶとい声の合唱を響かせた。

沓子のことはそれですっかり忘れ去っており、それから一週間後に彼女が突然豊の部屋に押しかけてくるまで、彼は彼女の存在など意識の片隅にさえ持ってはいなかった。

日曜日の夕刻とはいえ、バンコクはまだ三十度を超える暑さがあり、日本人会の軟式野球部に在籍していた豊は日本人学校のグラウンドで行われた午後の練習から戻ってきたばかりで、まだシャワーすら浴びてもおらず、下着一枚の姿になって、閉め切っていた窓を開けては、部屋の空気を入れ替えている最中であった。

ドアをノックする者がいたので、近所に住むタイ人青年ステイプ・マンサンダナではないかと思い、簡単にバスタオルを下半身に巻いてドアを開けてしまったのだが、そこに現れたのは悪徳旅行代理店に勤務するガイドのステイプの黒く日焼けした顔ではなく、白粉《おしろい》で化粧をした芸子《げいこ》のような真っ白な肌を持つ沓子であった。女の顔を認めた瞬間すぐ、『ザクロ』で見かけたあの女だと思い出せたわけではない。最初に目に飛び込んできたのは彼女が着ていたピンク色の服だった。上はやはりノースリーブで、下は膝上二十センチはあろうかというミニスカートである。身長の割には長い手と足が生々しくそこから突き出ていて、裸の女性が目の前にいるのよりもずっと猥褻《わいせつ》であった。手にはグラジオラスの花束を抱え、頭には大きなサングラスを、まるでハリウッドスターのようにちょこんとのせていた。そんな恰好でよくここまで歩いてきたなというほどに一九七五年のバンコクにおいては、あるいはそこが日本であったとしても、彼女の出《い》で立ちは突拍子もなく派手な姿であった。

沓子は一言の挨拶もないまま室内に上がり込むと、持っていたグラジオラスの花束をテーブルの上に放り投げ、そのまま窓辺に行くなり、一旦窓から顔を出し、スクンビット通りから分かれたソイ1と呼ばれる路地の景色を一瞥《いちべつ》した後、今度はカーテンを力任せに次々閉めていった。室内が次第に暗くなっていくに従って、豊のほうも記憶が蘇ってきて、あの時の彼女のまっすぐな視線を思い出していた。ドアを閉めた時に、自ら鍵を掛けてしまったとっさの判断は、男性の本能とでもいうべき動物的な勘によるもので、豊は明らかに、これから起こるだろうことを予知したのである。

震えた声で、なんだい、君は、と言いかけた時、沓子の手がノースリーブのブラウスのホックにかかり、脱ごうとしている、と分かった瞬間、もう言葉は意味をなさなくなった。再びあのまっすぐな、自信に満ちた力強い視線が豊の目を捉えたのだ。豊は薄暗い部屋の中央で右往左往しながらも行動することができず、彼女が一つ一つホックを外していくのをただどぎまぎしながら見ていた。とにかく大きな黒い瞳がくるくるとカールした髪の毛の間で揺れて光っていた。ホックはブラウスの背後にあったため、彼女の体はやや前傾し、両手は縛られ後ろにねじ上げられたような、歪《いびつ》な、しかしなんともセクシーな恰好となっていた。ホックを外し終えると、ブラウスは脱がずそのままにして、今度はミニスカートのホックへと手をかけた。流れ作業のような手際よさで、それはまるでファッションショーのモデルがデザイナーの前で着替えをしているような淡々としたもので、不思議なことに、女にはまったく恥じらいというものが感じられなかった。

何が起こっているのか、どうしてこんなことになってしまったのか、懐疑する間も与えないほどの奇襲攻撃。スカートが先にするすると滑り落ち、同時に彼女がブラウスを振り払ったので、突然目の前に下着をつけただけの裸の女が現れてしまった。

沓子はまるで十年来の恋人のように豊の腕を摑《つか》むとベッドのほうへと引っ張った。その時はじめて、彼は彼女に対するはっきりとした印象を持った。正確には二番目の印象というべきものだったが、しかしこの二番目の印象のほうこそが、彼をしっかりと引きつけたのである。

腕を引っ張られながらその物凄い引力を感じつつ、豊は沓子を太陽のような人だと思った。バンコクの空を焦がし続けるあの黄色く巨大な南国の太陽のよう。

沓子が自分の体に相当な自信があるのは一目瞭然であった。自信がなければああも大胆にはなれないだろうというくらい堂々としていた。実際その体は小柄なのに、非常に成熟していて、しかも肌には弾力があった。胸や腰や足を惜しげもなくさらけ出しながらも、豊が興奮を示すと、波のごとくすっと身を引き、豊のまだ若い心はいいように弄《もてあそ》ばれた。括《くび》れた腰は運動でかなり鍛えぬかれた証が、いい具合の曲線を描いていて、そこに触れると、肉体は瑞々《みずみず》しく跳ね上がり、うっすらと差し込む夕刻の光に実にくっきりと臀《でん》部《ぶ》の滑らかさの輪郭を浮かび上がらせるのだった。

豊は沓子を抱いている時、光子のことを思い出さなかったわけではない。しかしこのバンコクの熱の中にいて、裸の異性を無視できる男はいなかった。しかも沓子の体当たりの奇襲には理屈を超えた説得力があった。沓子の体はどこを押しても、激しく溢れる水脈があった。比べてはならない、と自分に言い聞かせながらも豊はどうしても色気の薄い光子との交接を思い出してしまい、そのことが肉体的に物足りなさを感じていた彼の欠けた心の部分を刺激し、さらに興奮を連れてくるのであった。

彼女の悶《もだ》え声は甲高《かんだか》く、ソイ1全体に届くのではないかというほどの華やかさがあった。慌ててその口許を押さえるのだが、指先から零《こぼ》れてくる切ない声と、彼女の唇の感触、さらには堪《こら》えられずに彼女の歯が豊の小指の付け根を噛むごとに、いっそう豊の心に油を注ぐのであった。四千六百キロも離れた東京にいる婚約者よりも、その瞬間だけは目の前の裸の女性に軍配があがった。沓子も豊が果てるまで手加減をしなかった。興奮させる全ての技術と情熱を注いで、萎縮気味な彼の様々な気持ちを次々解き放っていった。

この体当たりの自信ある奇襲作戦によって、確かに豊は翻弄され、それまで堅固だった光子への思いは揺らぎ、気持ちはいくらかではあるが確かに奪われた。

光子の場合、決して自分から進んで交接を求めるような女ではなかった。はじめて二人が一つになった時も光子は執拗に抵抗をした。服を脱がせようとすると、駄目、と大声を張り上げ、自分の体を両腕でガードした。それでもどうにか衣服のボタンを外す段までたどり着くと、さすがに光子も観念して、明かりを消して、と懇願した。その声はまるで怯《おび》える小動物のように可愛らしい恥じらいを示した。光子は暗闇を要求した。ほんの僅《わず》かな光も彼女は厳しく指摘し、本当にまっくらになってしまって君の顔が見えなくなる、と抗議しても聞き入れられなかった。結局二人は何も見えない暗闇の中で手さぐりのような交わりを持った。接続した部分だけが頭の中で艶めかしく浮上し、それが却《かえ》って豊には新鮮でもあった。もちろん暗闇だからといって、簡単に接続ができたわけではない。闇の中でさらなる格闘があった末に、やっと光子は全身の力を緩《ゆる》めた。それでも光子はまるで足を男性の前で開くという行為そのものが神に背く破廉恥な行為ででもあるかのように、頑《かたくな》に足だけを閉ざし続けた。彼女が足を開くまでに夜の大半を費やさなければならなかったほどである。

結婚式の日取りを決めたその夜でさえ、顔が見たいと切実に頼んだ豊の希望を光子は頑《がん》として拒絶し、明かりをつけることを許可しなかった。

全てが終わった時、横にいる裸の沓子を見て、豊ははじめて自分がしたことに対して動揺した。天井を見上げ、情事の余韻を反芻《はんすう》しつつも、遥か日本の地で自分との結婚を指折り数えて待っている純情な光子のことを考えると、口許がひきつった。それでも、据膳食わぬは男の恥という、日本男児の言い訳のような言葉を口腔《こうこう》で復唱するより他に、この事故のようなセックスの顚末《てんまつ》を説明することはできなかった。

居直りは、豊の得意でもあり、沓子を腕の中で抱き寄せながらも、いったいこれからどうなってしまうんだろう、とまったく現実味のない感覚で再び天井を眺めるのだった。

夜の帳《とばり》が下りてすっかり暗くなってしまった室内で豊が複雑な心境に揺れていると、沓子が身を起こし、真上から豊を見下ろした。前髪を掻きあげるたびに覗く顔は意外にも笑っていた。そしてその三十センチほどのところにある笑顔こそ、実ははじめてしっかりと眺めた沓子の顔でもあった。

小さな顔の中程に黒くしっかりとした瞳が二つ並んでいた。白目よりも黒目の占める割合が大きいせいなのか、彼女の眼光が鋭く見える。肌は確かに白く、透き通っているようだった。南国のタイにいて、これほどの白さを保つことができるのはどうしてなのだろう。まだタイに来たばっかりなのかもしれない、と考えて、実は彼女のことは出身地も職業も人格も性格も血液型さえ、まったく知らないことに気がついた。年齢も見当がつかない。計算高そうな目つきをする時などは大人びた雰囲気に溢れているが、それとは対照的に突然子供のような無邪気な笑みを零すこともあり、そんな時はむしろ下にも見えた。沓子という名だけを木下から聞いてはいたが、それ以外は何も知らなかった。素性をまるで知らない女性と抱き合ったことに、人生に対して堅実に生きてきた豊は自分の不可思議な行動を説明することができず困惑した。

「何を考えているのか当ててみましょうか」

薄暗い室内で沓子のきびきびとした声が反響した。彼女は豊の胸に腕をつき、そこで頬杖をついた。瞳が笑っているのに、口許は逆にぎゅっと結ばれていて、弄ばれているような或いは試されているような不快な気分に襲われる。いいよ当てなくても、と吐き捨てるように返した。その言い方が自分でもおかしいと思うほどにやんちゃに響き、沓子はぷっと吹き出してしまうのだった。

「ぼくに婚約者がいることは知っているくせに」

少し様子を見てから、暗闇に向かって文句を言うように低い声でそう告げてみた。

あの夜、友人の木下は、あいつがお前に一目惚れしたらしい、と言った。婚約を仲間たちに伝えている席でのことだ。どう考えてもこの沓子という女は普通ではない。

「勿論、よく知っているわ。あの時あなたが言ってたもの」

「じゃあ、どうして？」

「でもまだその方と結婚したわけじゃないわ」

恐ろしいことを口走ると、沓子は歯茎が見えるほどくっきりと口を開いて微笑んでみせた。それが不思議なことに、なぜか豊には可愛らしいと感じられてしまう。またしてもやっかいな自分の心に頭がこんがらがって動けなくなる。

第一、この女の行動はおかしすぎた。光子の親が雇った探偵である可能性もあった。光子の親と豊の勤めるイースタンエアーラインズの創業者とは血が繋《つな》がっていた。光子と結婚することで、豊の将来も幾分安定が約束されるはずだった。しかし向こうは戦前から続く財閥の家系、素行を調査される可能性もあった。婚約者がいながら簡単に見ず知らずの女性と関係を持つことができるような男でした、と報告されたらかなわない。そう思うと、背筋に悪寒を覚え、沓子の微笑みが不気味に映った。

「君はぼくのことをどう思っているのかな」

相手の顔色を見ながら、問いただしてみると彼女は、ふふ、と微笑んだ後、一目惚れしたのよ、とあっけらかんに言う。

「あなたが欲しくなったの」

「欲しくなった？」

「そう。欲しくて、欲しくて、仕方なかった」

「なんで？」

「なんでって、ヴィトンのバッグを欲しくなるのと一緒よ」

説明になっていないよ、と言い返したが、戻ってきたものは言葉ではなく、口づけであった。そういえば抱き合っていた時、豊は何はさておきキスには慎重になっていた。光子のことがあり、キスをされそうになると無意識に唇をぎゅっと結んでしまったのである。

ところが沓子のキスは息継ぎもできないほどに長い接吻で、何度も何度も彼女は執拗に豊の唇を吸い続けた。最初は拒否していた豊だったが、あまりに心の籠ったキスだったために、次第に頑だった心も溶けだし、最後は自分のほうからその柔らかさを求める始末だった。ここでもまた豊は沓子と光子とを比べてしまっていた。いけない、と自分を叱咤するが、そうすればそうするほどに、逆に欲望が燃えあがり、豊は沓子の唇を強く吸ってしまうのだった。

終わりかけてはどちらからともなく何度もまた吸いはじめた長い口づけがやっと終わると、豊はひりひりと痛む唇の痺《しび》れに酔い、自分が何を聞こうとしていたのかをすっかりと思い出せなくなっていた。

「好きよ」

沓子が不意にそう言ったので、豊は突然現実に連れ戻された。小さく首を振ってみたが、沓子はいつまでも微笑んでいるばかりで、まともに取り合ってはくれそうになかった。

それから若い二人はもう一度抱き合うことになる。今度は沓子がベッドサイドの明かりのスイッチを押したために、室内はさんさんと光が溢れ、お互いの顔を見つめ合いながらの交接となった。一つになっている最中、沓子はずっと豊の目を見つめ続けていた。豊も視線をそらすことができずにいた。こんな積極的で強引で強行で直球なセックスを経験したことがなかったから、豊はなにより、欲望の沼地にのめりこんでいく自分に驚いた。二度目なのに、もっと新鮮に感じたのはなぜなのだろう、と豊は沓子を抱き寄せながら不思議だった。

明け方、三度目の交接の後、沓子は夜明けを待たずに帰ると言いだし、服を着た。

「こんな時間にそんな恰好で出ていくなんて」

ピンクの服を身に纏った彼女を引き止めようとドアのところに立ち塞がった豊に、沓子は、嬉しい、と言って抱きつき、心配してくれたのね、と微笑んだ。豊は、狐につままれたような顔で沓子を見下ろしたが、そこでもう一度、今度は彼女の短いキスにあった。

「いいから、あなたは寝ていて。野球の練習もあったし、今日はいっぱい疲れたんだから」

「野球？　まさか、あそこにいたの？　練習試合を見ていたの？」

「ええ、ホームランを打ったでしょ。かっこよかった」

「じゃあ、後をつけてきたの？」

「そうよ、あなたの後をつけてここまで来たの」

もう一度、沓子にキスをされたので、抱きしめようとすると、彼女は、また明日会いましょう、と素早く呟き、豊の胸からするりと逃げた。鍵を外してドアを開けると、彼女はすっかり涼しくなったソイ1へと出ていってしまった。追いかけることができなかった。これが光子だったらすぐに追いかけて、有無を言わさず送り届けていただろうに、豊は階段から吹き上がってくる夜風に火照《ほて》った体を任せたまま、しばらくそこで脱力し続けた。青年は、沓子が出ていったドアに手をかけ、彼女が消えた暗闇のほうを静かに見つめ、彼女が残していった何か、得体の知れない怪しげな存在感とでもいうべき気配を、心の中でこっそりとなぞることしかできなかった。

第二章

好青年というのが東垣内豊のあだ名だった。

最初の頃、彼がはじめてタイにやって来た二十代後半、当時はもちろん当然いい意味を込めて付けられたのだ。彼がタイ国日本人会の人々に好青年と呼ばれるようになったきっかけは、婦人部が毎年九月に行っているチャリティバザーに、会社からの寄付品であるテレビを持って出掛けていったことによる。学生時代から野球の選手で、身長も高く、しかも大きな体軀《たいく》の割には甘いマスクの持ち主の豊を在留邦人の奥様方がほうっておくわけがなかった。

端正で清楚な雰囲気や気取らない性格が人々の気持ちを引きつけ、それからはことあるごとに婦人会のイベントの手伝いを申し込まれることとなり、彼女らを通して好青年というあだ名はバンコク中の日本人の間に広まった。その人気はいささかオーバー気味に言えば、まさに歌舞伎役者並と言えるもので、婦人会にはファンクラブさえあった。

しかしその名誉あるあだ名も沓子が現れ、彼女が彼の周囲にまとわりつくようになってからは違った意味で、つまりたっぷりと皮肉を込めて、言われるようになってゆく。光子が後にバンコクにやって来てからも、彼女はこの好青年というあだ名を何度も耳にすることになるが、しかしそこに含まれたもう一つの意味に光子はとうとう気がつくことはなかった。

東垣内豊と沓子が激しくもお互いを探り合うような一夜を過ごしたその翌日の夕刻、さっそく沓子から豊のもとに、夕御飯を一緒に食べよう、と電話が入った。豊は朝からずっと仕事が手につかず、昨夜の出来事を反芻しては、ぼんやりとしていた。そのせいで上司の桜田《さくらだ》の、おい、好青年、なにをぼうっとしてるんだ、という檄《げき》が何度も飛ぶことになった。待ち合わせの場所と時間を決めて沓子からの電話を切ったが、同時に出たのは湿りきったため息だけであった。

これからの日本人は語学をいち早く身につけるべし、と説いた厳格な父親の教育の賜物というべきか、英語に堪能だった豊は日本を代表する航空会社イースタンエアーラインズ（EA）の広報部に勤務していた。中心的な仕事は新しく就航したアジア路線の宣伝活動だったが、その中でももっとも重要な仕事が上司桜田の補佐をしながら、バンコクに在住する五千とも六千とも言われた在留邦人、日本人社会との関係作り、安定した顧客確保のためのPR活動であった。中でも、千五百名ほどの会員を有していたタイ国日本人会こそ、豊にとってはもっとも重要な、そして最大の顧客であった。

豊は日本人会の中へと深く入り込み、在留邦人たちと知り合い、彼らの窓口になることを一つの大切な仕事としていた。そのため、バザーや様々な催しがあるごとに、ライバル会社に水をあけられないよう真っ先に出掛け、手伝いを買って出、特に財布の紐を握った主婦層への食い込みに全精力を傾けていた。

当時EAの駐在事務所は東南アジアではバンコクとシンガポールにあるだけで、路線もできたばかりだった。EAバンコク広報部は、アジア戦略の拠点と謳われ、駐在事務所の片隅にスペースを与えられていた。三人の日本人スタッフと二人の現地人スタッフで構成されており、豊は四十代半ばの上司桜田に次ぐ立場にあった。

豊は仕事が終わると、繁華街パッポンに行こうという桜田の誘いを体調が思わしくないからと断り、そそくさと待ち合わせ場所へと向かった。

豊と沓子が待ち合わせをしたのは、チャオプラヤー川沿いにあるザ・オリエンタル、バンコクのロビーであった。シーロム通りにあったオフィスからそこまでは、豊の足で歩いて十分ほどだった。ホンテウと呼ばれる三、四階建ての低層のビルが連なるチャーロンクルン通りに出ると間もなくザ・オリエンタル、バンコクの在《あ》り処《か》を示す看板が左手に見えた。

ザ・オリエンタル、バンコクと書かれた看板を曲がっても、すぐに建物は見えなかった。水上バスの船着場までの二百メートルほどの路地の左右にはみやげ物屋が並び、露店が犇《ひし》めいて先を隠していた。焼き鳥だの焼き豚だの、甘い団子の菓子だの、魚のフライだのを、よれよれのTシャツを着た男や女たちが売っていた。

狭い路地なのに、その先にホテルと船着場があるせいでか、道中をトゥクトゥクと呼ばれるオート三輪車型のタクシーと日本製の小型バイクが埋め尽くし、その騒音と排気ガスで路地は騒然としていた。人々の目の輝きと、剝《む》きだして笑う歯の白さばかりが目に留まった。東京生まれ東京育ちの豊には、最初バンコクの躍動感が肌に合わず、何度も何度も、持って行き場のないホームシックに襲われた。しかしバンコク生活の二年目を迎える今は、現地の人々の本質的な素朴さに、強張《こわば》っていた心も緩みはじめ、それまで見えなかった、見ようとしなかった、人間味あるこの街の良さも次第に分かるようになってゆく。喧騒やアジア的な生命力にもリズムを合わせるこつを覚え、むしろ最近では親しみを感じるほどになった。

観光客や地元の人々に混じって歩いていくと、突然右手に椰子の繁る一角が現れる。しかしそれもアメリカ系の大ホテルの佇まいとはまったく趣の異なる、確かに伝統は感じるが地味な入り口が顔を現した。ホテル玄関まで登るゆるやかな坂道を上がりきると、やっとメインエントランスが出現するのだが、ドアマンたちのにこやかな笑顔とタイ式の、手を胸の辺りで合わせ、お祈りをするようなポーズでの挨拶を受けながらも、まだそこが世界の名門と謳われたザ・オリエンタル、バンコクに足を踏み入れようとしているとは、どうしても思えないのだった。

十五階建てのリバーウイングが新しくできたばかりではあったが、それを含めてもその敷地は、ハワイやカリブのリゾートホテルから比べればかなり狭く、第一、あまり見栄えのいいものではなかった。

これは豊がこの地に赴任してからずっと感じている疑問で、エントランスをくぐり抜けタイの様式で飾られたロビーホールのど真ん中に立っても、まだ合点がいかず、どうしてこれがアジア一のホテルなのだろう、と不思議に思いながら、天井から吊るされた古びた巨大なアジア風シャンデリアや、ガラスの壁の向こう側に臨むそれほど広くないプールや、或いはホールの奥のほうにこぢんまりと、まるで添えられたような小ぶりのフロントなどを眺めてしまうのだった。

結局、日本人会の人々が口を揃えて、あそこは本当に素晴らしいホテルだ、と言う受け売りだけを信じて、豊もここそがアジア一のホテルです、と合わせるように吹聴はしていたが、父に連れられてよく出掛けたオークラや帝国ホテルのほうが断然格が上ではないか、と心の中ではどこかで冷ややかに反応していたのであった。

沓子は前日にも負けない派手な恰好でロビーの中央の椅子に腰掛けて待っていた。淡いブルーの大柄な水玉模様を配したワンピースは体にぴったりとフィットしており、腰の辺りのラインを際立たせ、外国人観光客たちの視線を浴びていた。優雅な香りを漂わせ、ハイヒールのサンダルを履き、高級バッグを膝の上にのせている様は、貴婦人というよりは、まるで成り上がった映画女優のような華やかさで、貧しさと戦うこの国の人々との落差に、豊は大きな違和感を感じてならなかった。

彼女は豊に、まるで通じ合った者だけがするような、目をきゅっと瞑《つむ》ってみせるすかした合図を送った。しかも、それが彼を萎縮させていることにまったく気がついていないような明るさを投げかけながら。不意に豊はどうしたらいいのか分からなくなってしまい、自然顔が強張った。

沓子は人の視線などまったく臆することなく豊に抱きつかんばかりの勢いで近寄ると、その腕に手を回し、行きましょう、と引っ張った。どこへ、と彼が訊くと、私のうちへ、と彼女は笑った。甘い香りが欲望を仄《ほの》かに刺激した。絡みついてくる彼女の白い肌によって、昨晩のことが思い出された。今夜も抱き合うことになるんだろうな。豊は沓子の横顔を盗み見ながらそう考えては全身に気だるい欲望の痺れを覚えた。

沓子はホテルの外に出るのではなく、新館のフロントとは反対側のガーデンウイングと呼ばれる旧館のほうへと進んだ。

「君の家に行くんじゃないのかい」

と訊くと、沓子は、そうよ、だから、ここ、と足元を指さした。

豊は冗談に付き合うつもりで、なるほど、と笑みを返し、彼女が立ち止まって踵《きびす》を返すのを忍耐強く待ったが、そんな豊を尻目に、彼女はベルボーイたちからより温かみのある挨拶を受け、さらにどんどんと伝統的な古びた廊下をつき進んでいくのだった。

何をしているの、と振り返った沓子の声が豊を現実に目覚めさせた。慌てて彼女を追いかけたが、勝手知ったるといった歩調の彼女を追いかけていくのが精一杯で、微笑みを投げかけるボーイたちに笑顔を返す余裕もなく、心臓はなぜか執拗に脈打ち、言葉は喉元を通過することができず、まさに異国に放り出された子供のような心細さであった。

沓子が鞄から古びた鍵を取り出した時、はじめて豊は、君はここに住んでいるのかい、と訊き返すことができたのだった。映画のセットのような伝統的佇まいの旧館は、このホテルができたと言われる十九世紀から現存する、一番古い低層の棟《むね》であった。廊下の天井は高く、宮殿の中を行くような荘厳な雰囲気が周辺から漂い、なにか異境に足を踏み入れたようなひんやりとした空気に皮膚が敏感に反応した。

沓子が立ち止まったのは五メートルほどはあろうかというドアの前だった。壁にプレートが掛かっており、そこには『サマーセットモームスイート』と書かれてあった。幾つかのスイートにこのホテルに縁のある作家の名が冠されているとは聞いたことがあったが、ここはその一つなのだった。自分とそれほど年端の変わらない女性がザ・オリエンタル、バンコクのスイートで暮らすということは、まったく常識を逸脱していた。好奇心と前日以上の不安とのせめぎあいの中、豊はただ彼女の真後ろに立っては縮こまり、小学生のように、あるいは侍従のように厳《おごそ》かに待っているしかなかった。時代を感じさせるやたらと大きくて角張った古びた鍵をカギ穴に入れては、カチャカチャとノブを回す沓子の背後を見つめながらも、好青年はまだどこかで疑っていた。佇まいの古さに騙《だま》されてはいけない。百年程も経っているホテルだからといって、恐れることではない。沓子のような若い日本人女性が借りることができるのだから、きっとそれ相応の部屋に違いないのだ。豊はそう自分自身に言い聞かせると、もう一度下腹に気合を込めた。

まるで物置の戸を開けるような具合に扉が開くと、沓子は一言、どうぞ、と告げた。豊は勢いをつけて中に入ったが、そこで彼の目に飛び込んできたものは、まるでタイの国王のために用意されたような荘厳な装飾が施された部屋であった。

サマーセットモームスイートは、まず玄関を入ってすぐの四十畳ほどのリビング、そしてその隣に面した、その倍はあろうかという広さの寝室、さらにその奥に用意された隠し部屋のようなバスルームで成っていた。壁紙は落ち着いてはいるが濃いめのピンク色で統一され、その細かい南国の花の模様入りの壁紙が四方をぐるりと囲んでいた。

二つ並んだベッドはチーク材でできており、しかも天蓋《てんがい》つきで、古い作りはここが王国であることを思い出させるには最適の意匠を持っていた。サマーセット・モームが利用した頃のものであることは一目瞭然の時代的な風貌を持っていた。

正面の窓の向こうには椰子越しに、チャオプラヤー川の対岸に沈む夕陽が見えた。その熱情の色とでもいうべき赤い光はだだっぴろい室内をこれまたいっそう情熱的に、そして絢爛《けんらん》に赤く染めていた。豊は居間の真ん中に佇んだまま、動くことができなかった。

ここにもしも彼女が本当に住んでいるというのなら、いったいこの女は何者なのだろう。ふと今度はそんな疑問が湧き起こったが、それをすぐさま沓子にぶつけるだけの精神的余裕など残っていようはずもなかった。

豊が言葉を失っていると、背後から沓子に抱きつかれた。彼女の指先がシャツの上を這い、豊の筋肉の輪郭をなぞった。値踏みをされているような気分になる。何かとんでもない女性と関係を持ってしまったのではないか、という不安と後悔が起きたのもその時であった。眼下には川沿いにテラスがあり、幾つものテーブルが並べられており、白い制服を着た凜々《りり》しいギャルソンたちが機敏に作業をしていた。彼女はここで毎朝朝食を食べ、夕方こうして対岸の果てのない地平線に沈む夕陽を眺めているというのか。豊は振り返り、沓子の顔を見下ろした。

「何を考えているのか当ててあげましょうか」

沓子は悪戯《いたずら》っぽい口調でそう言った後、キスをせがんだ。それが合図となって二人は昨晩の続きのような激しい口づけを交わした。細くなった沓子の体が豊の腕の中にあった。爪先立っているためか、沓子の体は微妙に揺れた。それを支えるために豊はいっそう腰を屈《かが》め腕を彼女の体にぴったりと重ね合わせなければならなかった。

美味しい、と沓子が豊の唇を吸いながら言った。葉に溜《た》まった朝露でも啜《すす》るみたいに、沓子は丹念に豊の唇を吸い続けた。そのまま彼女はバレリーナのように爪先立っては後退しはじめた。豊の背中に回された手が、ベッドへ行こうと誘った。二人は唇をくっつけ合ったまま、箱型のベッドの中へと決して上品ではない姿のまま倒れ込んだのだ。

二人は夕食のことさえ忘れて何度も求め合った。豊は欲望に身を任せている間だけ何もかもを忘れて幸福でいられた。しかしそれも永久に、というわけではなかった。外が暗くなると、心もそうなった。同時に、今日は光子から国際電話がかかってくる日であったことを思い出した。タイと日本を繋ぐ国際電話の料金は、三分間で三千二百四十円もする時代である。タイ時間の毎週月曜日の午後八時に彼女が実家の電話を使ってかけてくる約束になっていた。

時間が気になって仕方なかった。ベッド脇に置かれたサイドテーブルの上に時計らしきものがあった。象牙でできたたいそう重々しい時計である。手を伸ばし、こちらへと向けてみると、短針が八のところを指している。嘆息が零れそうになり、それを沓子に気づかれないようにこっそり胃に流し込んだが、次の瞬間耳元で声がした。

「電話でもかかってくることになっているの？」

速まる鼓動を察知されないように、いいや、と微笑み交じりの低い声ではぐらかす。それから観念して枕に顔を押しつけ、腹が減っただけだ、と口にした。

何もかも見透かされているような関係だったが、豊はどこかでその主従関係を気に入ってもいた。ペットのように扱われることに、普通だったら腹も立つところだが、小柄で美人の沓子にリードされるのは決して嫌ではなかった。むしろ光子に対してのように、いつでもどこでも男として頑張らなければならないこともなく、日本男児を振りかざさなくてもいい、平等な関係が気に入ってもいた。何でも沓子が率先してリードしてくれたし、後をついていけばいいだけの身分もまた総じて楽で良かった。

「何を考えているか当ててみてくれないか」

何もかも見透かされているなら、むしろ正面から単刀直入に質問をしたほうがいいだろうと考えた。

「どうしてこんなところに住んでいるのか。私がいったい何者なのか」

そう言い、沓子は豊の胸の上に頰をくっつけた。丸々とした眼球が闇の中で黒光りしていた。豊は魔法使いの怪しい力を感じた。その自信に満ちた瞳に見つめられると、不思議なことに、どうにでもなれ、という気持ちが起きた。

「教えてほしい？」

豊は頷《うなず》く。

「ああ、知りたいね」

「私ね、大金持ちなの。お終《しま》い」

杳子は笑った。なんだよ、それじゃあ、答えになっていないよ、と抗議したが、杳子は不服そうに尖《とが》らせた豊の唇を指の腹で塞いでしまった。

「いい、いつかちゃんと教えてあげるけど、今はこれ以上訊かないでくれないかしら。お金だけは沢山あるし、君のことを好きなことも本当。それだけでいいじゃない」

「じゃあ、どうしたいのか教えてくれないか？　これから先……」

余裕のあった杳子の口許が不意に強張った。それから目を細め視線を僅かに逸《そ》らした。しかしそれはほんの一瞬のことで、すぐにまたあの強情で我が儘《まま》で過剰な自信を取り戻し、前よりもいっそう力強く微笑むと、一人で決めることではないわ、と言った。

その後、ホテル内の高級フランス料理店ノルマンディへと場を移したが、そこでも彼女はよく知られており、すぐに支配人が飛んできては、笑顔で挨拶をされた。杳子は、流暢《りゅうちょう》な英語で支配人とこそこそ話をしていたが、その支配人によって二人が案内されたテーブルは、店の中央に位置する二人掛けの席だった。雛壇《ひなだん》に座らされたようなよく目立つ席で、ここだけテーブルクロスの色が他の白とは異なり赤であった。

杳子はまるでこの街の顔役のような堂々とした態度で、オーダーを済ませると、支配人の見ている前で豊の手を握った。一瞬支配人と目が合ったが、愛想笑いに足して、肩を竦《すく》めてみせるしかできなかった。

長方形のホールはほぼ満席で、着飾った上流階級のタイ人をはじめ、外国人の家族たちがテーブルを占拠していた。中に一人知り合いの顔があった。取引先の会社に勤める日本人で、彼は家族と一緒だった。面倒くさいので、豊は目を合わせないようにしたが、妻らしき女性がこちらを時折振り返っていた。

食事が運ばれてきても沓子はなかなか手を離そうとしなかった。店中の注目を集めているような気がして、自然に俯《うつむ》き加減になった。注文や支払いをする彼女を、豊は姉のようだな、と感じた。実際には豊は一人っ子だったので、姉というものがどんな存在か、想像を超えるものではなかったが、ぐいぐいと引っ張っていく頼もしさや逞《たくま》しさは彼が思う姉という存在の理想的な姿でもあり、その魅力は光子にはないものでもあった。光子も一人っ子で、逆の意味でしっかりとはしていたが、年上の豊のことを最初の頃、冗談で、おにいちゃん、と呼んでいた。おにいちゃん、と甘えられるのは悪いことではなかったし、いつまでもおにいちゃんでいてあげたい、と思ったほどだった。でもこうして沓子の弟になってみると、それも決して悪いものではなかった。

元来浮雲のような性格の豊には、弟という立場はなにより気楽であった。

二人は食後、ホテルの狭い敷地を並んで歩いた。テラスの脇にホテル専用の船着場があり、黒々と流れるチャオプラヤー川の川面《かわも》が見えた。この現実離れした出会いと関係が、いつまでも続くとは思えなかったが、そのうち全てを自然に受け入れるようになっていくのではないか、と豊は高をくくった。結論を急がず、流れに身を任せよう、きっといつか、この夢は覚め、自然に杳子も気がついて、つまりはなるようになるのではないか、と自分を納得させるしかなかった。

バンコクの夜空に満月があった。今頃光子は心配して、この同じ丸い月を見上げているのかもしれない、と考えては胸が僅かに軋《きし》んだ。自分こそ、どうしたいと考えているのだろう、と杳子に寄り添われながらも不可思議な自分の行動に苦笑せずにはおれなかった。不意に現れたこの謎の女とどこへ行こうとしているのだろう。全てを失っても行かなければならない対岸があるとも思えなかった。

涼しい風が、汗ばむ皮膚を癒《いや》した。二人は月光の中、もう一度、口づけを交わした。

第三章

女性には二通りのタイプがある、と東垣内豊は思う。

街角で確実に男たちを振り返らせるタイプの女とそうではないタイプ。前者が沓子なら、後者は光子である。しかし、と豊は会社のデスクで書類の整理をしながら小首をひねった。男を振り返らせる女たちは確かに何か動物的なフェロモンを発しているわけで、沓子よろしく魅力的だと言うことができるが、だからといって、そうではない女性と比べて、どちらが長い人生において最終的に意味を成すか、安易に決めつけることはできない。

光子との結婚を決める以前、光子ほど地味な雰囲気の女を豊は知らなかった。実は豊は、勤めるイースタンエアーラインズの創業者の未亡人に紹介されて光子を知った。

これも好青年としての面目躍如たるところなのだろうが、会社の創立記念パーティで、まずは創業者の未亡人に豊は気に入られてしまう。未亡人は夫を亡くしてから、経営権を人に譲り、しかし一方陰の実力者として会社を雲よりもさらに高い上のほうから取り仕切っていた。パーティを主催した広報部の上司の命令で、豊はこの未亡人の送り迎えと細かいケアーを任された。彼はもともと学生時代は野球部の花形選手、体格もいいし、器量はさらに申し分のない甘い顔だちをしており、性格もスポーツマンということもあり表面的には良く、このことには本人も十分に気がついていて、それを利用して生きてきた節も多少なりとあった。というわけで、お節介をやくのが大好きな創業者の未亡人が豊のような好青年をほうっておくわけがなかった。ところが豊にはその頃、交際していた女性が数名いた。

優柔不断な豊は、勿論悪気があってのことではない、これらの候補を一人に絞り込めず、彼女たちを天秤に掛けていた。中には同じ会社の人間も含まれていたが、ほとんどが一度は肉体関係のある女性たちであった。実っている果実を齧《かじ》ってみては、まだすっぱかったり熟れすぎているものを選《え》り分け、母性本能をくすぐる特殊な技能を駆使し、別れと出会いを繰り返しながら、結婚というはじめての儀式をしくじらないよう、慎重に様子をさぐっているという感じだった。

しかし、ここで彼のささやかな味方をするならば、豊は決してふしだらな遊び人というわけではなかった。三十歳までには結婚をしたい、という堅実な生活設計を持っていた豊にとって、それらのつまみ食いにも重要な意味があった。

創業者の未亡人に光子を紹介された時の第一印象は正直、そうとうに酷《ひど》いものだった。華やかさのまるでない光子とデートをする羽目になった朝、どうやってこれを断ればいいのか、と真剣に悩んで腹痛さえ覚えたほどである。様々な政治的配慮もあり、未亡人の気持ちを傷つけたくはなかった。なにより当時の上司には、その辺のところは十分すぎるくらい慎重に、と釘を刺されてもいた。

ところがはじめて二人きりでデートをした時、豊は、光子の中にある今までに経験したことのないほど幅のある、または奥行きのあるゆたかで大きな人間性に驚くことになった。それまではどうしても人間をまず見目形《みめかたち》で見極めていたところのある豊にとって、器量よりも人を光らせるものが存在することを知らされたことは大きな収穫であった。喫茶店で向かい合ってはじまった会話の、朴訥としながらも、引き込まれていく雰囲気は、作ろうと思って、或いは真似ようと思ってできるものではなく、彼女の生まれ持った才能なのだと感じた。創業者の未亡人が何かにつけ言っていた、あの子はちょっと他の子とは違うのよ、会ってみる価値はあると思うけど、という意味がその段になってはじめて理解できたのだった。

「好きなものはなんですか」

創業者の未亡人の紹介の手前、邪険にできず、豊ははじめてのデートの時に喫茶店でそう訊いた。

すると光子は笑顔で、サヨナラです、と答えた。

「さよなら？」

ええ、と彼女は小さく頷いた。

「へんなことを訊きますけど、真面目に答えてもらえますか？」

今度は豊が小さく頷いた。

「豊さんは、死ぬ時に、つまり臨終の間際に、愛されたことを思い出しますか、それとも愛したことを思い出しますか？」

豊はつまらないことを訊く子だと最初思った。そしていい加減に、さあ、どうかな、その時になってみないとなんとも言えないですね、と返事を戻したのだった。

「私は、愛したことを思い出します」

光子は迷わずそう答えた。声には自身の生に少しも恥じらうことのない艶があった。豊がキョトンとした顔で見ていると、光子は少し俯き、愛されるという受け身ではなく、自分が愛したことを大切に思いたいんです、と呟いた。それから顔をあげ、再び笑顔で続けた。

「まだ本当の恋をしたことがありません。でも本当に大切だと思える人と出会えた時に、私はその恋の絶頂の時に、その人の横顔を見て、いつかサヨナラがやってくるのだな、と考えて悲しくなるような気がします。決してマイナスに考えているのではないんです。それだけ生きてるその瞬間をいとおしく大切に思っているということなんです。人間は一人で生まれて一人で死んでゆく動物です。サヨナラをいつも用意しておかないと、生きてはいけませんものね」

おそらくその言葉たちこそ彼女が唯一、長く語った部分であったはずである。豊は、その時、自分よりも幾つも若い女性が自分の命の限りについて語る姿に心が動かされたのだった。他の女性たちが喋る流行や芸能事などの話題とは明らかに違う、何かがあった。

「愛したことを思い出すんですね」

「ええ、もちろん愛されたことも思い出すでしょう。それは嬉しい記憶として。でも愛した、ということ。自分が誰かを真剣に愛し抜いたということは、生き物として生まれてもっとも尊いことだと考えるのです。そういう一生を送りたいんです」

熱弁というほど力も入ってはおらず、言葉数も決して多いほうではなかったが、弁《わきま》えていて、細部に気配りが迸《ほとばし》り、その時好青年は、ああ結婚をするならこういう人とだろうな、と思ったのだった。そう思えば不思議なものでどこか垢抜けないと思っていた容姿も、良く見えた。

それからしばらくして、豊のもとに「サヨナライツカ」という詩が送られてくることになる。真っ白な紙に、万年筆の文字で書かれた十数行の詩であった。

サヨナライツカ

いつも人はサヨナラを用意して生きなければならない
孤独はもっとも裏切ることのない友人の一人だと思うほうがよい

愛に怯える前に、傘を買っておく必要がある
どんなに愛されても幸福を信じてはならない
どんなに愛しても決して愛しすぎてはならない
愛なんか季節のようなもの
ただ巡って人生を彩りあきさせないだけのもの
愛なんて口にした瞬間、消えてしまう氷のカケラ

サヨナライツカ

永遠の幸福なんてないように
永遠の不幸もない
いつかサヨナラがやってきて、いつかコンニチワがやってくる
人間は死ぬとき、愛されたことを思い出すヒトと
愛したことを思い出すヒトとにわかれる

私はきっと愛したことを思い出す

最後の三行に目が留まり離れなくなってしまった。「人間は死ぬとき、愛されたことを思い出すヒトと、愛したことを思い出すヒトとにわかれる。私はきっと愛したことを思い出す」。豊が結婚を決意したのはその瞬間だったのかもしれない。

一方、沓子ほど全身で女を表現し醸しだしてくる女性もはじめてだった。出会いから二週間ほどが経っていたが、沓子は抜群のタイミングで連絡を入れてきては豊を街へと連れだした。最初の交接があった日からずっと二人は一緒だった。そういう強引さを持つ女も豊ははじめてであった。

まったくタイプの違う二人の女性とのこの運命的な出会いによって、豊は人生最大の選択を迫られてはいたが、しかし最終的には光子を取る腹積もりでいた。なぜなら直感的に、沓子のような女とは生涯一緒にいられるとは思えなかったからだ。彼女の体から迸る官能的なフェロモンは豊が男としての機能を減少させた後も、どんどん雄《オス》たちを引きつけていくに違いなかった。見知らぬ男が彼女を振り返るたびに、その都度やきもきした気持ちを味わっていくことなど、嫉妬深い豊には到底耐えられることではなかった。

ただ、今はこの危ない綱渡りを楽しんでいたかった。もうしばらく未知の女沓子の怪しげな存在に浸《ひた》っていたかった。結婚してしまったら、浮気になるが、今だったらまだどちらとも言えない猶予の期間である。火傷《やけど》をしない自信は豊にはあった。光子に勘づかれないで、なんとか沓子と結婚までに別れる自信もあった。沓子だって、豊に婚約者がいることを知って迫っているのだ。それに彼女にはどこか姉のようなところがある。最後は甘えて、彼女に身を引かせればいいのだ、と賢い豊は頭の片隅で考えていた。結婚式の日取りが決まっていた十二月のクリスマスまでに、なんとかこの関係を終息させればいいわけだから、と。それまでにはまだ三ヵ月余りあり、十分すぎる時間だと豊は高をくくっていた。

問題は沓子よりも光子のほうだった。頭のいい彼女に勘づかれないようにするには、細かい配慮が必要になるはず。

「今日ね、乃木坂のブライダルハウスに行ってきたのよ。ウエディングドレスの採寸をしてきた。母の知り合いにここのデザイナーの方がいらしてね、ドレスをシルクのシフォンで作って頂くことになったの。母はビクトリア調の華やかなものをと言うんだけど、私はもっと現代的でシンプルなもののほうが好きなの。豊さんはどう思うかなと思って」

　豊は、先週の月曜の夜の不在のことをいつ訊かれるかとはらはらしながら受話器に耳を押しつけた。沓子には少しやってしまわなければならない仕事があるので後で連絡をすると言っておいた。勘のいい沓子のことだから、そう言えば十分理解して貰えるはずだった。光子との関係がきちんと続いていることを暗に知らせておくことも、いつかくるだろう自然の別れの日のためには大切な下地であろう。

　光子に対しては、できるだけ普通に振る舞い、絶対に沓子のことを悟られてはならなかった。月曜の約束を守れなかったことをこれまた自然に説明しておく必要もあった。しかしいきなり言い訳をするわけにもいかない。変に焦って説明を急ぐと、逆に勘繰られてしまう可能性もあったからだ。

「豊さんのタキシードはそちらで借りることができそう？」

　結婚式はバンコクにある日本人がオーナーのアマリンホテルで、家族だけを招いて行われることになっていた。会社が関係する旅行代理店に細かいプランを伝え、スケジュールを組ませた。タイで結婚式を行おう、と提案をしたのは豊だった。光子と付き合う前に交際していた女性たちとのことがあり、東京で式を挙げることになれば、同じ会社で手をつけた幾人かも呼ばないのは不自然となって、却って面倒くさい事態になるのは目に見えていた。式など挙げずに済めばやらずにおきたかったが、光子の家に対しての手前、さらには創業者の未亡人の顔を潰さぬ配慮もあり、苦肉の策と言わざるを得なかった。

「多分、大丈夫だと思う。タイの王室御用達のテーラーが会社の近くにあるから、そこに問い合わせてみるよ」

「まだ探していないのね。ぐずぐずしているとあっという間に十二月になってしまいますよ」

光子の穏やかな笑い声が耳元をくすぐった。不意に沓子の笑い声を思い出した。こうして光子と話をしていると沓子のことを思い出し、逆に沓子と楽しく過ごしていると光子のことを思い出した。光子はしばらく笑っていたが、不意に声に力がなくなり、まもなくすっと萎んでいった。

「手紙にも書いたことだけどね、先週の月曜日はずっと電話していたのよ」

わざとらしい相槌を打ってしまった。いきなりだったので、不意を突かれてしまい、動揺が口許を震わせた。

「男の付き合いがあるだろうから、あんまり追いかけ回すのはよくないことだ、と父に叱られたので、その日は電話をかけるのを控えたの。でも、昨日の日曜日も一日中留守だったでしょ。だからちょっと心配になって……」

「ごめん。昨日は野球の試合があって、ほら、アメリカチームといつものロイヤルスポーツクラブで親善試合をしていたんだ。終わってからは、みんなで『ザクロ』に飲みに行って、アメリカさんも数名やって来てね、結局、朝帰りになってしまった」

「月曜日は？」

「仕事だよ。日本から不意のお客さんが来てさ。電話のことは気になってはいたけど、仕事がある時は無理に戻ってこないでいいよって、君が言ってくれてたのを思い出してね。つまり甘えてしまったわけだ。僕しか接客できる人間がいなかったんだ。他はみんな家族持ちだし、そういう役はどうしても僕のところへ回ってきてしまうんだな。こういうことはこれからもあるかもしれないから、覚悟してくれるかい？」

光子は静かに笑った。彼女が使命感に燃えて、頷いている絵が豊には見えた。

「豊さんのこと信じているのに、あんな風に連絡が取れなくなると、ついどこかで心配になってしまって。そちらに、何かやんごとない人がいるのかしらって、悪い想像までしてしまって、ごめんなさいね、余計な気を使わせてしまいました」

光子の声の端々に疑っている様子が隠れているかどうかを見分けるのは難しかった。耳を欹《そばだ》てながらも、彼女の息づかいや口調の細部を検討してみた。

「そんな無駄な心配は無用だよ。だってもうすぐ僕らは結婚するんだから」

光子はすぐに明るさを取り戻したが、一方豊のほうは目に見えない精神的な重圧に押さえこまれ、体が床にめり込みそうなほど重くなった。

「それで、試合は勝ちましたか？」

少しの間があいた後、光子が上手に話題を変えた。普通だったら、つまりこれまで付き合ってきた女たちなら口を揃えて、約束を守れなかっただけではなくその後電話をかけなかったことに関しても問い詰めてきたに違いない。

「ああ、勝った。相手のピッチャーがひどくてね。フォアーボールの連続。それに、僕が一人で三本もホームランを打ったんだから、勝たないわけがないだろ」

出任せにしてはすんなり架空の試合の模様を再現することができた。凄い、三つも、と光子の声が上気した。心から喜んでいる様子に胸をなで下ろしながらも、どこにあるのか分からない心という厄介な場所の奥のほうがちりちりと痛むのを我慢しなければならなかった。

「見たかった。でもこれからはしょっちゅう見に行くことができるわね」

未来を空想しては興奮気味に息を弾ます光子に安堵しつつ、ああ、と答えるのが精一杯であった。話題が変わっても、どれも際どいところを掠《かす》めていった。

豊は前日の日曜日、沓子とのデートを取って、試合をずる休みした。アメリカチームとの因縁の試合だったので出たかったが、試合に行くと言えば、沓子も必ず見たいと言いだすに決まっていたので、自分のペースを摑むまでは練習にも試合にも顔を出さないほうが利口だと決め、木下に体調がここのところよくないから復調するまで用心のために休ませてくれと連絡を入れておいた。その時ついでに沓子の素性についても訊いてみた。木下は、不可解そうな口調で、なんで今頃、と逆に訊き返された。いや、偶然あの人を見かけたからだ、とまたしても嘘をついてしまった。木下は笑いだし、今度口説《くど》きたいと思ってるんだ、と白状した。

「実はよく素性は知らないんだが、知り合ったのはできたばかりのオリエンタルホテルのシガーバーでだった。つまり、ナンパしたんだな。だってさ、あんないい女が一人でカウンターでカクテルなんか飲んでいるんだもの、ほうっておいたら日本男児の名が泣くだろう。アメリカ人やドイツ人の客が彼女をかなり注目していたし、このままでは取られてしまうと、まあ奮起したんだな。そしたらさ、なんでもスイートルームに一人で住んでいるって言うじゃないか。さすがの俺もちょっと腰が引けたな。後でいろいろ情報を集めたんだが、親が財閥の総帥だという説と、皇室の関係だという説とかがあってね、一度デート、と言ってもさ、昼メシを一緒に食べただけなんだけどね、その時にそれとなく本人にも訊いてみたんだが、彼女はどちらも否定した。しかしあれだけのホテルに俺たちとさほど変わらない年齢の女が一人で住んでいるんだ。変だろ。なんかあるだろう。みんなが言うようにさ、相当な身分の親がいるか、または相当な金持ちの恋人がいるとしか考えられない。あいつ、金持ちの愛人なのかもな」

愛人という予想外の響きに豊は耳鳴りを覚えた。

「愛人といってもさ、我々が簡単に想像することができないほどの大物の愛人だろうな。女をオリエンタルホテルのスイートに囲えるような人物なんてそういるものでもない。だから俺も口説くタイミングを計りかねているんだ。……しかしお前、変な気を起こすなよ。あれは俺が見つけた女なんだし、それにお前にはちゃんとした許嫁《いいなずけ》がいるんだから……」

　沓子の素性については結局木下も知らないということであった。なのに愛人という響きだけがいつまでも豊の耳に残って離れなかった。

　光子は、タイについての本を数冊買い求めて読んでいることや、母校に留学に来ているタイ人学生たちから、タイの国情や生活習慣の違いについての話を聞いたことを伝えてきたが、豊はぼんやりとしてしまい、いい加減なタイミングで相槌を打った。

「どうかなさった？　今日は少し変ね」

　光子に言われ、慌てて豊は、ちょっと風邪でも引いたんじゃないだろうか、と嘘の上塗りをした。そんな風に言えば、光子が早く寝なさいと言って電話を切ってくれるだろうととっさに閃《ひらめ》いたのだが、光子は電話を切るばかりか豊の体のことを案じて、病院はあるのか、薬をすぐに送りましょうか、などと心配した。大丈夫だよ、ちゃんとこっちには日本人の医師もいるし、薬もあるから休めばすぐによくなる。話がぐるぐると目まぐるしく巡っていくのに仄かな苛立ちを覚えたが、それを口に出すこともできず、胃に飲み込んでは、天井へと視線を逃がすのだった。

いつものように会話が弾まないのは、明らかに沓子のせいだった。浮気がばれないように気を使うものだから、不自然な感じを光子に伝えてしまっているに違いなかった。それを体のせいにしたのは正しい逃げ道だったが、これから三ヵ月余りも毎回体のせいにはできず、そうやって嘘をつき続けていくのは至難の業《わざ》であった。

「来週までにはかならず風邪を治して元気な声を聞かせるから、今日は少し早く休もうかな」

仕方がないので、こちらから電話を切ることにした。光子に、ごめんね具合が悪いなんて知らなかったから、つい長話をしてしまって、と謝られ、後ろめたい気分になった。電話を切った後、本当に熱が出てしまい、そのままベッドにもぐり込んで寝てしまったが、それからどれくらいしてか、今度は沓子からの電話で起こされた。

沓子よ、と何かを探るような穏やかだが張り詰めた声音《こわね》であった。具合が悪いので今日はちょっと会いに行けない、と低い声で言ってみた。

「本当に理由はそれだけ？」

と彼女が告げた。ああ、と返事をしたが、豊の声には張りがなく、沓子に嘘が見破られたことを豊は知った。

「ご飯を作りに行ってもいいかしら」

「いや、そんなことしなくても大丈夫。ちょっと寝ていればすぐに良くなるんだから」

「でも何も食べていないでしょう。美味しい中華粥でも作ってさしあげるわ」

「そうじゃなくてね、できれば今日は一人でいたいんだけど、気を悪くしないでくれないか。毎日ずっと一緒だっただろ、だから一日だけ一人になりたいんだ。具合の悪い顔を見せたくもないし、明日元気になったらこっちから出向くから」

　様子を見ているような間が数秒あいた後、そのほうがいいみたいね、という素直な返事が戻ってきた。

「君が何を考えているのかなんとなく分かる」

　沓子の声には明るさが戻っていた。その明るさの裏側にあるものが豊には気になった。

「じゃあ、当ててごらん」

「君は私のことが好きで好きで仕方ないのよ」

　豊には、その口調に自信と同じくらいの大きさの不安が潜《ひそ》んでいるような気がして仕方なかった。

「そうかな」

「そうだわ。自分の気持ちはなかなか自分では理解しづらいものなんだから」

「そうかもしれないな」

「そうなのよ」

最後の、そうなのよ、という言い方の中には、自分自身に言い聞かせるようなニュアンスが感じ取れた。強さの中にある弱さのようなものが、豊には尊く響いた。ふと光子の詩を思い出した。

「ねえ、訊いてもいいかい。君は死ぬ時に、つまり臨終の間際にということだけれど、誰かを愛したことを思い出すかな、それとも、誰かに愛されたことを思い出す？」

ふふ、と電話口で笑う沓子の声が鼓膜をくすぐった。

「さあ、どうかしら、うーん」

しばらくの間があいた後、

「愛されたことかしら」

と言葉が戻ってきた。

「でもなんで？」

「いや、なんでもない」

「嘘、何かあるでしょ」

「そうじゃないけど、愛したことは思い出さないのかな」

「勿論愛したことも思い出すわ。それは対《つい》になっていることだから。でも女にとって愛されることはとても重要でしょ、私は世界でただ一人の男性に愛されたこと、愛し抜かれたことを何より誇りに思って生を全《まっと》うできるなら、それほど素晴らしい人生はないと思うのよ」

不思議な説得力である。

「君に愛された時、私は意味を帯びる」

豊は笑った。

「君に愛されなくなった時、私の意味は終わる」

そして豊は急に笑えなくなってしまった。

「じゃあ、明日仕事が終わったらまっすぐにここへ来て頂戴。風邪は私が治してみせるから」

電話が切れた後、東垣内豊は小さなため息をついた。受話器をしばらく握りしめたまま目を瞑ってみた。最初に瞼《まぶた》の裏側に浮かんできたのは、彼自身驚くべきことに、光子ではなく、沓子であった。それもぼんやりと電話機を見下ろしている寂しそうな表情をした沓子だった。

第四章

朝、仕事に出掛けようとしていると、ステイプ・マンサンダナに声をかけられた。

豊がこの国で作った最初の友達でもある彼は日本人観光客相手の悪徳旅行代理店に勤めていた。彼に騙された日本女性から豊の会社に抗議の電話が数度あり、桜田は決してステイプと付き合わないように、と豊に釘を刺していた。しかし豊には騙される日本女性のほうが悪いことは分かっていた。ステイプは本物の悪ではなかった。彼は生きていくために少し調子のいいことを言っているに過ぎない。騙された女性たちも、一瞬は恋に落ちていい思いをしたのだから、それは人生の勉強であるはずで、有り金全て貢いだ彼女たちの責任も大きいはずだった。ツーリストを甘やかし過保護にしすぎるのは本人のためにも、そして日本の未来のためにも良くないことだ、と豊は考えていた。

「ユタカ、どう調子は？」

豊は、まあまあだよ、と微笑んだ。

「最近、あまり戻ってこないけど、どこにしけこんでる？」

「お前にだけは言っておこう。俺は今、女のことで心が揺れている」

ステイプは歯茎が見えるほどに大きな笑みを顔中に拵《こしら》えた。

「ああ、悪い男だね。婚約者がいるじゃない」

豊は肩を竦めてみせた。

「ホドホドにしとかないと、後が大変だよね」

「分かってる。でもどうしようもない時というのがあるだろ、人間には」

ステイプは豊の肩をポンポンと叩いた。

「あるある。ボクなんかしょっちゅうだよ。日本の女の子はみんな素敵だしね」

「なあ、訊いていいかな」

何、とステイプ。

「お前、日本人と結婚する？」

「しない、しないよ」

ステイプは確信に満ちた返事をすぐに戻してきた。

「日本の女性とは遊ぶだけ。結婚するならやっぱタイ人の子でしょ」

「どうして？　日本人は金も持ってるし、可愛いじゃない」

「可愛いけど。でもタイ人がいいな、絶対に裏切らないもの。だって結婚は一生の問題でしょ。途中でポイされたらどうするの？　老後のボクの面倒は誰が見てくれるわけ？　東京の片隅で捨てられたらどうすればいい？　優しくて尽くしてくれるタイの女の子と結婚してさ、一生面倒見てもらうほうが幸せね。日本人の女の子はつまみ食いでいいよ。彼女たちもどうせ、そう思っている。つまみ食いされたいから、ボクにひっかかるんだよ。ちゃんとした人は絶対ボクにはひっかからないね」

豊は笑った。ステイプはウインクをした。

「堅実な奴だな」

「何？　ケンジツって？」

「俺に似てるっていう意味だよ」

ああ、似てるかもね、とステイプは頷いた。

「でもボクは、許嫁がいるのに、べつに彼女を作ったりしない。真剣な時、心は一つね」

豊は頭を掻いた。ステイプ・マンサンダナは、乗ってく？　とバイクの後ろを指さした。豊は無言でホンダに跨《また》がると、遠い国で豊のことを思っている光子のことを考えて空を見上げた。

仕事が終わると豊はまっすぐにザ・オリエンタル、バンコクへと向かった。危ない橋を渡りながらも豊と沓子との関係はますます深まっていき、淫《みだ》らで怠惰な生活が続いていた。

二人は温度が調節されたプールで泳ぎ、リバーサイドテラスで夕暮れのチャオプラヤー川を見ながら、シーフードの美味しい食事に舌鼓《したつづみ》を打ち、バンブーバーでキューバ産の葉巻を燻《くゆ》らせた。支払いはいつも沓子が、大丈夫気にしないで、と豊を軽く制してはサインで済ませたので、そのうち豊もその気軽な支払いに慣れ、遠慮をしなくなっていった。

二人が堂々と館内を歩きはじめるようになるのは、沓子が豊のアパートを訪ねてからわずかに二週間ほどのことで、その頃にはベルボーイやドアマンたちから豊はミスターマナカと呼ばれるようになっていた。マナカというのは沓子の名字であった。

「ミスターマナカなんて呼ばれて。大丈夫かな」

「平気よ。彼らはあなたが私の客であるかぎり余計な詮索《せんさく》はしないわ」

沓子は従業員の目を気にせず、豊の手を強く握りしめた。

「ねえ、なぜここがアジア一のホテルか分かる？」

豊は小首をひねった。

「アジア一なのはね、歴史があるからとか、テラスからの眺めが素晴らしいからではなくて、彼らの中にあるのよ」

「彼ら？」

「そうあのベルキャプテンやドアマンたち」

「なるほどね。従業員たちの心からの持てなしがアジア一ということか」

「そう。このホテルが世界中に大勢のファンを持っているのはね、まさに心の籠った持てなしにその理由があるんだから。ここのジェネラルマネージャーを頂点に、ドアマンに至るまで、全員がホテルマンとしての最高の誇りと確固たる自覚を持っている。だから、ここに泊まりに来る人たちはいつも家に戻ってくるような温もりを味わうことができるのよ」

杳子は豊の腕に手を回した。

「いい、ここはバンコクではない。ここはオリエンタルホテルというもう一つの世界。日本人社会とも離れた別世界。何も気を使う必要はないわ」

サマーセットモームスイートの扉を開け、その闇の中に吸いこまれると、二人はドアを閉めることも忘れて口づけを交わし合った。ひんやりとした室内の空気は外の熱帯の湿度の高い空気とは比べものにならないくらい優しかった。突然、背後でがちゃがちゃという音がして向かいのジョセフコンラッドスイートの扉が開いた。慌てて振り返ると、二人は廊下に出てきた白人の老夫婦と目が合った。老婦人のほうは微笑んだが、年老いた夫のほうは破廉恥な行為への侮蔑的な態度をあからさまにして、視線を逸らした。杳子は、顔なじみと思われるその老夫婦に、ごめんなさい、と謝ったが、婦人は笑みを崩さず、若さの特権よね、と豊の頭の先から足の先までをじろじろと眺めた。杳子は扉を閉めた。扉に背中をついて視線だけはまっすぐに豊を見つめ、後ろ手でドアの鍵を掛けた。目が闇の中で光ったような気がした。

豊は杳子の瞳の輝きにおびき寄せられると、彼女を両脇から包み込んだ。腕の中で沓子は顎を上げまっすぐに豊を見た。なんとも言えない誘惑的な甘い眼球だった。大きな二つの黒目の中心に赤い光が揺れている。窓から漏れる月光は本当に微《かす》かで、他に反射するような光源はどこにもなかった。なのに彼女の瞳の内側に確かに燃え盛る明かりが見えた。豊は両手で彼女の頬を触った。指先を動かし顔の輪郭を確かめた。この熱情の炎はなんだろう、と豊は思った。かつてこんなに激しく、しかも不安定な、いつ崩れるか分からない足場の上で愛されたことはなかった。足元が不安定であればあるほどに豊の心の炎も大きくなった。

二人は口づけを交わした。闇の中でお互いの存在を確かめ合うようなキスだった。その柔らかい感触は、そこに彼女がいることをはっきりと伝えてきた。このままどこまでも堕落しようと構わない、とその瞬間は思うことができた。きっと薬物中毒者は誰もがそう思って底無しの沼に落ちていくに違いなかった。

まさに沓子は危険な習慣性のある欲望そのものである。

隣室に通じる扉を開け、明かりをつけると、そこに黄金に輝く寝室が現れた。二つ並んだチーク製の箱型ベッドは全体にちりばめられた金箔が眩《まばゆ》かった。最初、この豪華絢爛という言葉がぴったりのこの部屋は豊の極めて日本人的な感覚には異様に思われた。しかしここで何度か目覚めていくうちに、むしろ豊は現実的ではない佇まいに心地よさを覚えるようになっていった。非日常的な空間が架空の王宮にでもいるような錯覚を誘って、最初の違和感も数日後には感動へと変化し、彼の心をいっそう麻痺させていくのだった。

二人はザ・オリエンタル、バンコクのこの特別室の中で、世俗とは無縁な王と王妃のように暮らした。豊は金箔のベッドを快楽の船だと思った。

ここでは何も邪魔するものもなかった。ここにいる限り、豊はあらゆる雑事から自由であった。時間も、規則も、習慣からも解放されて豊はまるで龍宮城にいるような気分で、日々を捲《めく》っていくことができた。

ここはバンコクではないのよ。ここはザ・オリエンタル、バンコクというもう一つの世界。

沓子の言う意味がよく理解できた。ここはバンコクの喧騒も、東京の記憶も、いや人間界のあらゆる雑念がまったく届かないもう一つの場所であった。引き締まっていた緊張感はほぐれ、あらゆる神経が弛緩《しかん》して、豊は沓子と一つになりながらも、穏やかな時間を味わうことができた。

二人は何度も、力が尽きるまで愛し合った。

全てが終わると、このサマーセットモームスイートの箱型のベッドは、まるで音のない静かな空間に浮かんだ宇宙船のようだった。彼女の呼吸音しか聞こえない静寂の世界である。豊は不安になって、沓子を手で探した。ぐったりと横たわる彼女の体軀を見つけると、そっと引き寄せた。真空の宇宙に確かな存在としての一つの肉体が浮かんでいる。そこに沓子がいるというだけで、豊は安心することができた。

星が見えた気がした。宇宙船の窓から、遥か彼方の空間にきらりと光る点があった。

「こんなにくたくたになるまで愛し合ったことって今までになかったわ」

沓子の声が闇の向こう側から届けられた気がした。

「驚き」

くすりと彼女が笑う。

「何？」

沓子は豊の胸に顔を埋《うず》めてきた。

「ぴったりなんだもの。こんなにぴったりと合った人ははじめて。一番よ」

誰かと比べられていることは余り嬉しいことではなかったが、一番という響きには説得力があり、またそれには同感であった。豊にしても、こんなに毎日抱き合っても、まったく枯れない泉に出会ったのははじめてのことであった。お互いが濡れていて、お互いがそそり立っている感覚は、膨らみきった神経の先端同士が触れ合うような甘美な快楽を伴った。かつて付き合った女性たちとは比べられないほどに、沓子の言う通り全てがぴったりで、肉体の相性の良さは同時に心の相性にも直結しているように思えてならなかった。

「ねえ、私はどう？」

豊は沓子が宇宙に零れ落ちないようにぎゅっと掬《すく》い上げた。

「ぴったりだ」

「誰と比べて？」

豊の腕から力が抜けていった。

「誰とも比べちゃいない」

声に力が入ってしまったことに驚いた。慌てて、もう一度沓子を抱き寄せた。

朝、目が覚めると、隣室から漏れてくる光が穏やかに室内を浄化させていた。腕の中でまだ寝ている沓子の一糸まとわぬ体をシーツで隠して、豊はベッドを抜け出した。

隣室は外界との贅沢なクッションとなっていた。窓の日除《ひよ》けを開けると光が一斉に室内を満たした。あまりの眩さに豊は目を細めざるを得なかった。

ホテルの中でももっとも古いこの建物は百年という時間を生き延びていた。その美しい時間との調和こそ、この部屋のもう一つの素晴らしさであった。前庭には数本の高い椰子が伸び、光を微妙にコントロールしていた。その椰子の袂《たもと》で、朝早くから働く勤勉なタイ人の青年たちが庭仕事をしている。芝は丁寧に刈られ、テラスまで延びる歩道の両脇には見事に手入れされた蘭が幾本も咲いていた。

朝の空気を入れようと窓を開けると、その音に気がついた青年が豊を振り返り、例の胸で合掌するタイ式の挨拶をした。豊も真似て掌を合わせ、小さくお辞儀をしてみた。青年の笑顔は心を洗うほどに爽やかで、くったくがなかった。

しばらく眼前に輝くチャオプラヤー川を見ていた。雄大さに逆らうかのように何隻もの水上バスが大勢の人を乗せて川を上ったり下ったりしていた。ふっと冷たい感触が脇腹を駆け抜け、それから沓子の腕がまとわりついてきた。振り返り抱きしめる。眩《まぶ》しさに目を細める彼女の顔に沢山の口づけの雨を降らせた。それをじっと受け止めていた彼女の顔が次第に緩んでいくと、今度は昨晩の交接の余韻が下腹部から立ち上がってくるのだった。

「王様、お腹が空きませんか」

沓子は目を閉じたまま言った。

「空いたな」

そう言うと、彼女は顔中に笑みを拵え、それから飛びついてきた。幸せが儚《はかな》ければ儚いほどにその幸福は何よりも純粋に思えた。これが後何十日しか味わうことのできない限定付きの幸福だと分かっているからこそ、豊はその麻薬に酔うことができた。

「今日は気分がいいから、ルームサービスじゃなくて、オープンしたばかりのリバーウイングで朝食を食べましょう」

沓子の提案に好青年は賛成した。二人は素早く着替えて部屋を飛び出した。こっちよ、と言う沓子に手を引かれて豊はプールサイドを歩いた。先程のタイ人青年と目が合う。

「おはようございます、ミスターアンドミセスマナカ」

青年の声と同時に沓子の笑みが光の中、弾けた。夜の妖艶さとは打って変わって、朝の彼女は実に健康的で明るかった。

プールの水が太陽の光を反射してゆらめく光の模様をそこら中にまき散らしている。人工的には真似することのできない美をそこに演出していた。このまま沓子を抱きかかえて飛び込みたいという衝動に豊はかられた。実際彼は彼女を背後から抱きしめると、だめ、止めてよ、という沓子をプールに放り込む真似をしたのだった。

『ベランダ』と呼ばれるコーヒーショップの外の席に二人は陣取ると、ウェイターが注文を取りに来るまで顔を近づけて見つめ合った。

「飽きない？」

と沓子が言った。

「いいや、全然飽きないね」

と豊が答えた。

「不思議ね、つい先月まで私はあなたの存在すら知らなかったのに」

「それを言うなら僕だって同じだ」

「今は全てを知ったような気がしているけど、でも、それは間違い。よく考えたらまだ何にも知らないのよね」

「確かに」

「確かに」

真似するな、と豊が言うと、沓子は舌を出してからこう言った。

「君の背中の黒子《ほくろ》のことまで知っているのに、君がどんな子供だったのかは知らない。君のどこを触ると感じるかを知っているけど、君がどんな人と付き合ってきたのかを知らない。君の髪の毛の硬さを知っているけど、君の両親のことを知らない。君の鼾《いびき》や歯ぎしりのことを知っているけど、君が結婚しようとしている人のことは全然知らない」

そこで不意に沓子の顔が真面目になった。豊は急に現実に連れ戻されたような不快な気分を味わった。その時、丁度ウェイターがやって来たので、豊は自然に話題をはぐらかすことができた。ウェイターが去ると、沓子に再び笑みが戻っていた。

「君の星座を知りたいわ」

豊は笑った。女性はいつの時代もデータを重要視するものだ。そう子供の豊にこっそりと教えた父東垣内敏郎のことを思い出した。

「そんなことを訊いてどうする？」

「君をもっと知るためよ」

「血液型は訊かなくていいのかい？」

「それも知りたいわ」

そこで豊は適当な血液型を口にしてみた。すると沓子はふーんと首を傾《かし》げてから、そうなんだ、と考え込んでしまうのだった。父親は光子との結婚を誰よりも一番に喜んでいた。光子と対面した時の敏郎のほうがよっぽど緊張しており、まるで自分が結婚をするかのようであった。光子を交えみんなで食事をした最後に、父敏郎は豊の傍に寄ってきて、でかした、と告げた。それはまるで殿様が家来を褒めるような言い方であった。

「流行りの性格判断かい。それで僕はどんなタイプなんだろう」

沓子は学者のような神妙な顔でとくとくと分析をはじめたが、途中で豊が笑いだしてしまうと、何よ、何がおかしいの、と顔を顰《しか》めてしまった。

「はずれ」

「そうかしら、合っていると思うけどな」

「いや、はずれだね。だってさっき言った僕の血液型はいい加減なものなんだから。つまり僕は自分の血液型を知らないんだ」

嘘ついたな、と沓子の唇はいっそう尖った。

「でもはずれているかどうかはまだ分からないでしょ。ちゃんと調べてみたら、その血液型かもしれないんだから」

「そうかな。いやそうかもしれないけど、つまり僕が言いたいのはね。どれだけのデータを基にしているのかは分からないけど、人間をそんな風に鋳型《いがた》に詰め込んで見るのは良くない、ということだよ」

「これはね、欧米で最近科学的に研究されたことなんだから当たってるのよ。そのうち日本でも血液型で性格の判断をする人が増えるはず」

「恐ろしい時代の到来だな。四種類の血液型で人間を全て分類するだなんて考え方はさ、どこかファッショに通じるものがあるな。ところでそういう君自身、何型なんだい」

沓子は笑った。何？　と豊は顔を覗き込む。

「実は私も自分の血液型を知らないの」

二人が声を出して笑ったものだから、ウェイターや客は彼らを振り返った。

朝食を食べ終わると二人はテラスへと移動した。肩を寄せ合って、チャオプラヤーの流れを見つめた。周囲にはきっと、新婚のカップルみたいに映っていたはずだった。一九七五年当時はまだザ・オリエンタル、バンコクを利用する日本人客はまばらで、彼らがこうしていても怪しんだり日本人社会に告げ口をしたりするものはいなかった。さらにはこの時代まだ従業員の中に日本人はいなかった。片言の日本語を喋るフロントマネージャーのタイ人の女性だけが、日本人客との橋渡しで、そういうことだから一般の日本人観光客には敷居の高いホテルでもあった。しかしそのことは逆に二人にとっては恰好の隠れ蓑《みの》の材料でもあった。スクンビット通りやパッポン通り周辺で手をつないで歩くのは危険過ぎたが、ホテルの中なら安全だった。仮に日本人らしき姿を発見したなら、しかしそれは中国人である可能性のほうが高かったが、その時だけ二人はすっと身を離せばよかったのである。

「そろそろ会社に行かなければ」

「まだ少し早いんじゃないの」

「いいえ王妃さま、ぎりぎりの時間でございます」

杳子は寂しそうな目をした。

「今日は何をしているんだい」

豊が訊くと、沓子は肩を竦めてみせた。

「君の帰りを首を長くして待っているわ」

豊は、瞼の上が瞬間攣《つ》りそうになるのを覚えた。そうか、それは嬉しい、と言ったが声はくぐもって消えかかっていた。今日は月曜日だった。光子からの電話がある日なのだ。

「いやちょっと待って。実は、今日はこっちへ戻ってくることができないんだ」

沓子はうすうす光子から電話があることを感じ取っていたのだろう。あまり驚く様子もなく、試すように、ただまっすぐに豊を見ていた。豊は彼女の瞳の中でまだ炎が激しく燃え盛っているかどうかを確認するために眼球の中へと目を凝《こ》らすのだった。

「待ってるわ」

「遅くなるけど」

「待ってる」

不意に沓子に抱きつかれた。豊は焦って周囲へ視線を投げかけたが、そこには数名の外国人客がいるだけで日本人の姿はなかった。

沓子はまるで妻のように豊に寄り添い、彼をロビーエントランスまで送った。豊はさっきまでのリラックスした気持ちを失い、縛られたような緊張の中にいた。ドアマンの青年が美しい笑顔で、おはようございます、ミスターアンドミセスマナカ、と告げると、大きな扉を二人だけのために開けた。沓子の手が豊の肘《ひじ》に添えてあった。豊はもう沓子の手を握ろうとはしていなかった。外に出ると豊は沓子を振り返り、笑みを拵えると、ありがとう、ここでいいよ、とできるかぎり優しく告げた。

豊はもう一つの世界へと足を踏み出した。黄土色で統一されたホテルの送迎車がずらりと駐車場に並んでいた。その脇を豊はゆっくりと歩いた。しかし決して沓子を振り返ろうとはしなかった。そこはもうホテルではなく、現実世界のバンコクだったからだ。

暑くなりそうだった。ホテルの正門を一歩踏み出ると、屋台が立ち並びトゥクトゥクが犇めく乱雑なバンコクの路地が待っていた。水上バスの船着場から出てきた大勢の、仕事場へと向かう人々の流れに豊も混じった。埃《ほこり》と光が交差するその先、急成長を遂げる都市の渦の中に向かって、彼は亡霊のように歩きはじめた。

第五章

沓子とのふしだらな日々が過ぎていくある日、豊の元に母方の親戚にあたる叔父の安西康通《あんざいやすみち》から電話がかかってきた。康通、順子《じゅんこ》夫妻は豊の父親に頼まれ、この地での親代わりを買って出てくれていたが、日本に豊がいた頃には一度も面識がなかった。石油発掘関連の仕事で東南アジアを転々としている夫妻は、日本を離れてすでに十年ほどの歳月が経っていた。ここ数年はタイ北部の油田の調査に携わっており、バンコクに駐在していた。

「なんで電話をくれないんだ。あんないい知らせがあるというのに」

「すみません、忙しくて」

「婚約なんていう大事なことを」

「連絡しようとしていたんですけど、ここのところ日本から重要なお客さんが相次いで……」

「分かってる。お前が忙しいのはわが家では有名だから」

安西康通はそう言うと、腹の底から響く大きな声で笑った。日本人離れした体重と身長の持ち主で、顔中髭《ひげ》だらけで一見怖そうには見えたが、逆に心はおおらかで優しく、堅物《かたぶつ》の父親敏郎とはまた違って、なんでも相談できる年長の兄のようなところもあり、豊は尊敬していた。

「順子がお祝いをしたいと言ってるんだが、今日の夜はあいてるかな」

「今日ですか」

「来週でもいいけど、いつだって忙しいだろ。乾杯しないわけにはいかないいじゃないか。出て来いよ」

沓子のことが一瞬頭を過ったが、世話になった二人に連絡を入れなかったことはずっと気になっていた。真っ先に連絡すべきだったが、沓子の出現によって、そのタイミングを逸《いっ》してしまったのだ。今日か、と豊は心の中で呟いた。むしろ長引かせるよりは早く会っておいたほうが賢明じゃないだろうか。自分を説得してみた。

「分かりました。今日にしましょう」

「そうか、じゃあ、決まりだ。六時でいいな」

「ええ、六時に。じゃあ、そちらへ伺います」

「いや、今日は祝いだから、外にしよう」

「外ですか」

「予約を入れてある。オリエンタルにフレンチのいいレストランがあるんだ。ノルマンディというんだが」

思わず受話器を握る手に力が入ってしまった。

「フレンチはちょっと……」

不意なことで、豊は咄嗟《とっさ》に言い逃れができなかった。

「たまにはそういうものを食べなきゃだめだよ。なんでも、婚約相手はいいところのお嬢さんだっていうじゃないか。フレンチなんかでびびってたら、これから先やっていけないよ」

電話が切れた後、やっと事態の意味が飲み込めた。すぐに事務所を抜け出して、近くのショッピングモールから沓子の元へと電話を入れた。半分は言い訳であり、半分は事前に彼女にそのことを伝え、機嫌を取るためであった。

「いいじゃない、別に。婚約のお祝いなんでしょ。しとけば」

穏やかな口調だったが、言葉には棘《とげ》があった。

「心配なのは、ギャルソンとかが僕のことをさ、ミスターマナカなんて呼ばないか、ということなんだけど……」

「ふーん、そうね、大丈夫、私がちゃんと言っておく」

ここで電話が切れた。はっきりと沓子は、言っておく、と告げた。誰に、どう、なんと言うつもりなのか。考えると目眩《めまい》がし、ため息が喉元から滲み出た。

豊は仕事が終わると、ザ・オリエンタル、バンコクへと向かった。しかしこういう日に限り東京からの連絡がひっきりなしに入り、事務所を出た時にはすでに六時を回っていた。トゥクトゥクに揺られながら豊の心や体もまた焦燥感で大きく時化《しけ》っていた。

専用エレベーターからノルマンディのある旧館の最上階に吐き出されると、豊はそこに顔見知りのギャルソンを発見した。男は小さくお辞儀をしたが、いつものように、こんにちは、ミスターマナカ、とは言わなかった。

「どうぞ、こちらです」

　と案内されて中に入ると、豊の目に同時に飛び込んできたのは安西夫妻とそのすぐ後ろのテーブルで背中合わせに食事をしている沓子の姿であった。叔父叔母に対して笑顔で会釈をしながらも、一方で豊の心臓は激しく胸を内側から叩き、今にも肋《あばら》を砕いて外に飛び出しそうであった。ノルマンディのテーブルは四角型で、ギャルソンに勧められたのは安西夫妻と対面する席だったが、そこは丁度夫妻の間に沓子の背中が見える場所でもあった。

　まもなく支配人がいつもの笑顔でやって来たが、彼も笑顔以外の表現は避けた。確かに沓子が彼らに何かを言ったに違いないのだが、豊はそれらをいちいち想像しては一人顔を赤らめるのだった。

「婚約おめでとう、豊ちゃん」

　順子がそう言って立ち上がった。まあ、どうぞ、と着席を促したが、順子の手はまっすぐに豊の胸元まで達しており、握手をしないわけにはいかなかった。叔母の手を握りしめた後、今度は叔父と握手をしながら、豊はわずか一、二メートルほどしか離れていない沓子の後ろ姿を盗み見るのだった。

「十二月ですって、ここで？　バンコクで式を挙げるんですってね」

　順子が満面に笑みを湛《たた》えて言った。十二月かもうすぐじゃないか、と康通が付け足した。いや、まだはっきりとそう決まったというわけじゃ、と沓子の手前言い訳をしたが、

「でもお姉さんが言うには、アマリンホテルの式場を予約してあるということだったけど」

　と順子が行く手を封じた。

「慎重になるのは分かるが、婚約したんだし、もっと素直に喜べばいいのに。でもそこがお前らしいところでもあるかな。で、どんなお嬢さんなんだい」

　沓子の肩が微細に動いたような気がした。ギャルソンがシャンペンを持ってきて、豊の前のグラスに注いだ。長閑《のどか》に気泡が上っていく。

「どんなって、別に普通です」

「普通が一番。お洒落《しゃれ》になったのはいいけど中身のない人や、ちゃらちゃらした人が増えたから。堅実な人が最終的には賢明ということになるわね」

　そういう意味じゃなくて、と遮《さえぎ》ろうとしたが、叔父の一際響く笑い声に掻き消され

た。

「お前の父親もそういう意味じゃ、堅い結婚を望んでいたからな。良かった」

康通がグラスに手を伸ばした。

「乾杯をしよう」

「そうね、おめでたいことだから乾杯をしましょう」

二人がグラスを摑んで高く掲げたので、豊は仕方なくグラスを合わせた。

夫妻は、どうやって光子と知り合ったのか、とか、どんなところに惚れたのか、など、アルコールの勢いも手伝って、根掘り葉掘り、自分たちの若かりし頃と比較しながらも微笑みを絶やさず聞いてきた。豊は顔を赤らめ終始俯き加減で応対をしたが、一部始終を沓子に聞かれてしまい、後のことを考えると憂鬱で料理も喉を素直には通らなかった。

沓子が席を立ったのは、一時間ほどが過ぎた頃であった。席を離れる時、一瞬目が合った。しかしその目が笑っていたので逆に豊は不気味な気分になり、無意識に体が萎縮するのを覚えた。

結局、安西夫妻がホテルを出たのは九時三十分を回っていた。二人をまずタクシーに乗せて送りだした後、豊は急いで沓子の部屋に戻った。豊を迎えた沓子はやはりここでも笑顔であった。様子を窺《うかが》うようにおそるおそる入ってきた豊の手を強引に摑むと、その場で豊が着ていた衣類を脱がせはじめた。

「あの二人にはいろいろと世話になっていたし、やはり一度会っておいてよかった。これでもう暫《しばら》くは会わなくて済むし……」

言い訳をする豊の周囲をぐるぐると回った後、沓子は豊の肉体を背後からまさぐった。いつになく丹念な愛撫に豊の口も次第に塞がっていった。

「このまま、ここでして」

沓子を振り返るともう笑ってはいなかった。豊は言われた通り彼女を抱き寄せる。

「ここで？」

「そうよ、このまま、立ったまま」

沓子の指先が豊の肉体の先端に触れる。豊は彼女の手触りの良い薄い綿のワンピースをたくし上げた。何度も激しく口づけをした後、豊は一旦体を落とし、それからまるで腰で彼女を支えるような恰好で起きると、一つになった。

豊は沓子を抱えた。彼女の足が開かれ、二人は股間で固定された。

「重い？」

抱きついてきた彼女が耳元で囁いた。

「いいや、大丈夫」

豊は嘘をついた。

「重いくせに。我慢しないで」

「大丈夫だって」

「苦痛じゃない？」

「いや感じてる」

「苦痛だけど、感じるのね。今の二人が置かれている状況みたいね」

ちくりと来たが、気にしないで沓子の体を抱きしめた。

「可愛らしい人なのね、光子さんて」

すぐ目の前に沓子の顔があったが、笑ってはいなかった。光子という響きに敏感に豊の体が反応してしまった。相変わらず何もかもが不安定だった。

「ウエディングドレスを作ってるんですってね。あなたも作らなくちゃ。まだ何にも準備してないでしょ。一緒にテーラーを探しに行く？」

「大丈夫」

小さく、できうる限り小さく呟く。

「大丈夫、大丈夫……。いつでもなんでも大丈夫なのね」

二人はそこで再び長い口づけをした。しばらくすると杳子の舌が艶めかしく挿入されてきたので、豊は慌てて絡めた。するといきなり嚙みつかれてしまった。切れるのではないかと思うほど、歯の先が食い込んでくる。強く嚙まれ、動くことも逃げだすこともできず、情けない悲鳴だけが、嚙まれた舌の脇から外に零れた。

その日は夜があけるまで、苦痛と快楽の繰り返しとなった。


そんなことがあったというのに、二人の関係は日に日に大胆になっていった。そんなことがあるからこそ、二人の関係はいっそう危なくなるのであり、いっそう豊は逃げ出すチャンスを逸していくのである。

サマーセットモームスイートがいくら広くても、そこの中だけで、若い二人のエネルギーが満たされることはなかった。次第に用心のたがが外れ、時間とともに警戒心も薄れだし、そのうちのこのこと表に出るようになっていった。勿論最初の頃は、暗がりに紛《まぎ》れて近場を選んで、しかも数メートル離れて歩いていたのだけれど、次第に手を繋いで歩くようになり、そのうち長閑な気候も手伝っていっそう気も緩み、明るい夜のパッポン辺りで、日本人駐在員たちに目撃されていくようになっていった。

噂というのは早いもので、二人が親密な関係にあることは日本人社会の中にあっという間に広がってしまった。最初にノルマンディで二人を目撃した知り合いの婦人が日本人会に噂をばら蒔き、ついでパッポンで見かけた男たちが仕事仲間たちを通じてその噂を確固たるものへと高めていった。

最初に忠告をしてきたのは上司の桜田である。

「おい好青年、なんかここのところ、巷《ちまた》では不穏《ふおん》な噂が流れているようだが」

なんでしょう、ととぼけてみせたが、すぐに沓子とのことだと察しがついた。

「目撃したわけじゃないから、真偽は分からないけれど、婚約者がいるんだしな、十二月には結婚するんだし、いや、だからこそ今のうちに遊んでおきたいという気持ちは男だから分かるけれどさ、でも、どうかな。プライベートなことまでとやかくは言いたくないんだが、仕事に影響するだろ。日本人社会の反発を買うようなことだけは控えてくれないかな。それに俺は個人的に創業者の奥さんが怖い」

桜田の忠告を境に、日本人社会からは白い目で見られることが多くなった。スクンビット通りの高級ブティックで二人仲良く買い物をしているところなどが目撃されたのだ。最初日本人たちは沓子のことを光子と勘違いしていたようで、婚前支度にタイまで来たのかと、微笑みかけられたりもしたが、そのうち、光子ではないということが知れるに従い、一気に険悪な雰囲気が日本人社会の、特に女性たちの間に広まっていった。

毎年九月の第四土曜日に行われている日本人会のバザーに豊が会社からの寄付品を抱えて出掛けていった時は、例年の友好的な気配はまったくなく、ひそひそと豊の後ろで内緒話をする人々の声がどこへ行っても追いかけてくる始末であった。

ただ一人だけ、はっきりと豊に苦言を呈する者がいた。木下常久は豊の前に仁王立ちになって立ちはだかると、回避して行こうとする豊を執拗に遮った。

「どういうことだよ」

木下はため息をついた後、そう言った。

「何が」

「沓子のことだ」

「馬鹿、単なる噂だろ」

「よく言うな。俺もタイ大丸で先日目撃させてもらった。あれだけ忠告したのに。結婚はどうするんだ。どっちを取るつもりだよ」

聞き耳を立てている人々の静けさが堪《たま》らなかった。辺りを見回したが、視線が合うと女性たちはわざとらしく逸らした。木下は熱血漢だった。彼独特の正義感を振り回し、日本人社会の世話係をいつも喜んで引き受けてきた彼らしく、教師のような態度で豊に意見を言うのだった。

「あの女は危険だって言ったのに」

「大きな声だすな。みんな聞いてる」

「構うものか、小さな社会なんだ。いずれみんな知ることになる。ここではっきりと決着させておかないと、お前のここでの立場がなくなる」

無視して行こうとしたが、木下は両手を脇に添え、厳しい表情であらためて豊の前に立ち塞がると、頑として動こうとしなかった。仕方がないので豊は取引をするつもりで木下の襟首を摑み、その耳元に人々には聞こえないよう小声で文句を告げた。

「綺麗ごと言うなよ。お前なんか毎晩パッポンで女あさりしているじゃないか。外国の女性を金で買っているような奴にとやかく言われる筋合いはない。そっちのほうは社会問題になっている。僕は日本女性とデートをしているだけだ、お前たちが勘繰るような関係じゃない」

木下の顔が真っ赤になった。周辺の傍観者の数が増えていく。

「なんてこと言うんだ」

木下は豊を突き飛ばした。豊は思わず興奮し、ついみんなに聞こえるほどの声で怒鳴ってしまった。

「貧しい国の女性を金で買ってるんだ、そっちのほうが問題だろ」

木下の手が伸びた。摑み合いになり、派手な声が飛び交った。女性たちが間に割って入り、殴り合いにはならなかったが、木下のシャツの襟首が破れてしまった。

「あんたたち、喧嘩するなら外でしなさい」

バザーの副幹事がそう言った。滝沢《たきざわ》ナエは豊のファンクラブのまとめ役でもあった。五十歳はとうに過ぎていたが、彼女もまた豊が赴任したての頃何かと世話になった一人であった。

「好青年。どうした」

滝沢ナエが興奮する豊を一喝した。豊は自分でも自分の気持ちが分からないのだった。みんなの前で木下に恥をかかせてしまったことも後悔していた。言ってはならない男同士の約束ごとを破った気まずさが心をひっかいた。

「どうもしてません。僕は、みなさんにどう思われようが、自分に正直に生きるだけです」

居づらくなってその場を去った。沓子の待つザ・オリエンタル、バンコクへと足は向いていたが、どこか違うところへ消えてしまいたかった。叔父や叔母の元にもこの噂は届いている頃だろう。近いうちに彼らから呼び出されることを覚悟しなければならなかった。それよりも安西夫妻が東京にこのことを告げ口したらどうなるだろう、と想像した。不意に足が止まり、最悪の場合、光子の耳に入る可能性もあった。いや、入らない、と言い切ることのほうが都合が良すぎる。そうなれば光子との結婚は流れ、豊はやっと見つけた理想の女性を失うことになる。さらに創業者の未亡人からはお叱りを受け、父親からは勘当されてしまうに違いなかった。

豊は苦々《にがにが》しく道の先を見つめた。ふっと口許に笑みが起こった。しかしそれもすぐに消え、今度は皮膚下から冷や汗が滲み出てきた。

どうしたいんだろう、と自問した。考えれば考えるほどに分からないことが多すぎた。通りは無数のトゥクトゥクと自転車に埋め尽くされている。大型のバスには大勢の人が乗っておりドアより溢れ出た人々が把手に摑まってぶら下がっていた。眼前に広がるアジアの街の光景はまるで三十年前の日本の景色のようでもあった。

光子のことも考えた。結婚とは何かと想像した。伴侶なんて言葉は綺麗すぎた。誰か一人に決めることが自分の長い人生にとってどれほど重要なことなのだろう、とも思った。たった一人の女性とだけ夫婦としてやっていく自信はなかった。結婚してもきっと浮気をするに違いない。それでも結婚をする必要があるのだろうか。何のために？　社会的な立場のためにか。いったい自分は光子に何を結婚で誓おうとしているのだろう。そこにどんな安心を見いだそうとしているのか。

考えても答えなどその時の豊に簡単に見つけ出せるわけはなかった。

第六章

十月になると東垣内豊の周辺はいっそう厳しく過酷になっていった。

式場の下見のためにタイへ来ると言いだした光子を思い止まらせるために、豊はそれまでよりも大きな嘘をつかなければならなくなる。

「式を挙げるまではバンコクに足を踏み入れてもらいたくないんだ。新鮮な気持ちで新しい環境に飛び込んできてほしいんだよ。結婚前に、気持ちの些細な行き違いで愛情に亀裂《きれつ》が入るという話はよく聞く。君がここへ来て、慣れない環境で疲労困憊《こんぱい》し、普段の君とは違った感情が先走って、思うようにならないことに必要以上の苛立ちを覚え、尊い愛をやせ細らせたとしたら、それはきっと僕の責任だろう。遠距離恋愛というのはつねにそういう危険を背に抱えているもの。僕が一人で奔走し、しっかりと舞台を拵えてから君を迎えてこそ、僕は君への愛を誓えるというものじゃないのかな。第一、君は結婚したらいやというほどここで頑張らなければならない。アジア地区はうちの会社の最重要戦略拠点だろ、僕はしばらく日本へは帰れそうもないわけだからね。古臭い言い方で気分を害してほしくはないんだが、妻である君に応援して貰わなければならない。君が出端《でばな》でくたくたになってしまったら後に尾を引くことにもなるだろう、最初くらいは堂々と楽な気分でこちらへやって来てほしいんだ」

嘘は嘘を呼び、話はどんどん膨らんでいったが、取り敢《あ》えず今は嘘をつくしかなかった。一九七五年当時、海外へ出掛けるのは簡単なことではなく、ましてや海外で暮らすというのは普通の感覚ではどこか地の果てにでも行くような勇気が必要であった。豊の説得には道理があり、また巧みな話術にも支えられて、これらの嘘は真実味を持つことができた。不安の多い海外生活を少しでも和らげようとする豊の優しさなのだと、光子に誤解させるには十分なものであった。

かくして東垣内豊は光子の来訪をなんとか阻止することに成功した。週に一度の国際電話と手紙で光子の不安を取り除かなければならなかったが、最悪のケースは免れることができた。しかし難関は光子だけではない。バンコクの日本人会は今や、全員が敵という状態であった。元来体育会系の大雑把《おおざっぱ》な性格をした豊にとっても、とぼけるには限界というものがある。どこへ出掛けても忠告を受け、会合やミーティングに顔をだせば白い目で見られた。あきらかに仕事にまで支障がではじめていた。上司の桜田からは厳重な注意を受けたが、いつものらりくらりでごまかす日々であった。

アマリンホテルで行われる結婚式の後、同じホテルのレストランで豊は世話になった人々を招いてささやかな披露宴を設けるつもりでいた。しかし案内状が刷り上がっても、それをどうしていいのか分からず、葉書の束は豊のデスクの下に放置されたままであった。

日本人会の人を全て呼ぶわけにはいかないし、仕事との兼ね合いもあって、呼ぶ呼ばないで揉め事を起こすのは今の自分の立場上都合が悪く、この際、披露宴は身内だけのささやかなものにしよう、と新しい嘘を認《したた》めた手紙を光子に送らなければならなかったが、さすがの豊も嘘のつきすぎで疲れ果て、塞がなければならない穴を前に迅速な対処が滞《とどこお》りがちであった。それにはもう一つの難関、沓子の存在が大きく行く手を塞いでいた。沓子は仕事の時間以外はぴったりと豊に寄り添い、彼の行動を執拗に監視した。

杳子は杳子で、内心穏やかではなかった。十月も半ばになると豊のそわそわした態度は彼女の神経を刺激した。豊がちょっとした時間を見つけてはこそこそ自分の家に戻って、東京と連絡を取り合っていることも気に入らなかった。豊が結婚の話題に触れないようにしようとすればするほど、彼女の気持ちも揺れ動いた。

それまでの放蕩三昧《ほうとうざんまい》の生活から、挙式が現実問題として迫ってきたことで、目に見えない心の綱引きが二人の間ではじまることとなった。そういうストレスが杳子の態度をさらに厳しく意地悪くさせていったのである。

杳子はますます豊を引きずり回した。彼女はささやかな反抗として、人前でも堂々と腕を組んで歩くことを豊に強いた。日本人が視界に見えると、豊は何気なく杳子の手を振り払おうとするのだが、杳子は決して握りしめた指先の力を緩めないばかりか、豊の腕にわざとしがみついたり、甘えた顔で豊の肩に凭《もた》れかかったりした。

タイ大丸で買い物をするのが杳子の一番のストレスの解消法であった。そこで日本人に見つからないようにすることは至難の業といえた。豊の神経はささくれだち、次第に短気になっていったが、自分のほうに責任があるせいで、杳子に対して文句は言えなかった。先に声を荒らげたほうがこの勝負は負ける、と豊は肝《きも》に銘じた。最終的にどうするか、まだはっきりと決めてはいなかったが、仮に光子と結婚する道を選ぶとするなら、いや会社を辞める気がない以上創業者の未亡人が間に入ったこの結婚を反故《ほご》にするわけにはいかず、沓子を取るなら会社を辞めなければならず、野心のある豊には自ずと選択の幅は限られており、そうなれば十二月の挙式までに沓子との関係を清算するより他に手はなかった。そのためには気性の激しい沓子との精神戦に勝たなければならない。

豊はさらに考えた。沓子とのこの甘く淫らな日々がいつまでも続くとは思えないし、毎日一生脂肪分の多いデザートを食べ続けることは体に悪い。結婚とはごく普通の日常を生きることであり、長い目で見れば光子との清貧な生活のほうが飽きがこず、安定しているのではないか、と。自分の狡賢《ずるがしこ》さに一瞬嫌気が差しはするものの、これはっかりは生涯を左右する重大事であり、仕方がないと自分自身に強く言い聞かせるのだった。

ここまで来たのだから慌てることもないし、十二月までに別れればそれでいいのだ。それまでは沓子の甘い蜜をたっぷりと吸っておきたい。結婚したらもう味わうことのない甘く官能的な蜜なのだから、ぎりぎりまで彼女の愛情の湖に浸《つ》かっていたい。

東垣内豊は好青年とあだ名される自分の性格を利用しようと決めた。どんなにシリアスな場面になろうとも、決して怒らず、つねに明るく笑顔で、植物のように辛抱強く、弟のように甲斐甲斐しく、ふるまうのだ。そして最終的には沓子のほうから、しょうがないわね、と言わせ、身を引かせるのである。沓子の口から愛の終わりを導き出さないかぎり、二人は綺麗に別れることができない。綺麗に別れることができなければ、その波紋は光子との結婚にまで大きな影響を及ぼしてくる。あと、二ヵ月、と豊はため息をついた。

一気に態度を変えるのはまずかった。二ヵ月間をフルに使って、じわじわと沓子に気づかせるしかなかった。難しい綱渡りだし、一歩間違えると両方を失うことになる。緻密なプランをたてて挑む必要があった。段階的に少しずつボディブローを放つ必要があった。

十月の最終週、豊は行動を起こした。沓子がたまには豊の部屋に行きたいと言いだしたことがきっかけであった。最初は、光子が少し早くタイに入りたいと言いだした時のようにいろいろと言い訳をしてそれを拒《こば》んだ。ところが、ふとある作戦が思い浮かんだ。

毎週月曜日は光子から国際電話がかかってくることになっていた。そのタイミングに合わせて沓子を家に招き、光子との会話を聞かせる。危険な賭けではあるが、迫っている結婚を彼女に認識させるにはいいチャンスだと豊は考えた。

豊は沓子をソイ1にある自分のアパートへ招いた。彼女がそこを訪れたのは、突然の来訪以来二度目ということになる。沓子は室内を見回し、こんなだったっけ、と呟いた。ベッドのスプリングを確かめてから、窓際へ行くと、カーテン越しにソイ1の通りを見下ろした。豊は電話を、作戦が遂行しやすい場所へと素早く移動させた。

二人は抱き合った。サマーセットモームスイートでの逢瀬とは何かが違った。場所が変わったせいか、交接もいつもとは感じが違っていた。豊も沓子も二ヵ月ほど前の出会いの頃のことを思い返していた。あれからほぼ毎日二人は抱き合っている。なのに二人は、お互いの肉体に対して不感症にはならないばかりか、ますます感度を高めていた。ちょっとした環境の違いで、二人の興奮に火がついた。この点は豊の計算ミスだった。沓子は抱かれながら出会った頃のことを何度も口にした。話をはぐらかそうとするのだが、それは豊にとっても刺激的な記憶であり、自然と最初の逢瀬を思い出しては、心が熱く燃えてしまうのだった。二人が肉欲だけで繋がった関係ならば、もっと楽に別れることができただろう。しかし豊も杳子も抱き合う時はいつも本気だった。どうしてこれほどまでに本気でセックスができるのか豊にも理解はできなかった。欲望の前に愛情があった。だから行為の後に長いカタルシスの余韻があった。その余韻こそが愛なのだと、最近豊は気がつきはじめ驚いた。タイプは違うが光子に対してもカタルシスを感じた。それはいとおしいという気持ちにおいて共通する感情であった。杳子は豊にとって、とても水が合う泉だった。その逆のことが杳子にも言えた。欲望だけの関係ならば、エクスタシーの後、これほど長くカタルシスに包み込まれなかっただろう。二人はお互いの肉体の中に美しい精神の泉を見つけ出していた。

太陽が西の街に落ちるまで二人は抱き合い、それからどちらからともなくお腹が空いたことを口にしだし、豊が簡単な食事を拵えることを買って出た。

豊は料理をしながらも、ワインを飲みながらも、時計が気になった。杳子は豊の豪快な味付けのスパゲッティに何度も賛辞を送った。楽しそうに微笑みを絶やさない杳子が愛らしかった。心苦しさから逃れるために豊は何度も視線を逸らしたが、ここまできたらもう後には引けなかった。豊はワインを飲みながら、手順を確認する。電話がかかってきても勝手に電話に出てはならない。あくまでも沓子の許可を待たなければダメ。いいわよ、と彼女自身に言わせなければならないのである。どんな時も豊は好青年でいなければならないのだ。そしてすぐに終わらせるからと言って彼女に隣の部屋で待つように促す。あとは、結婚が現実の問題として二人の間に横たわっていることを光子との会話の中から沓子に気づかせるのである。

電話機は豊の後ろにあった。八時丁度に最初のベルが鳴った。沓子の顔が強張っていくのが豊には手に取るように伝わった。心臓が激しく鼓動を打ったが、冷静になるんだ、と自分に言い聞かせた。沓子は電話機と豊とを交互に見比べた。どうするべきか悩んでいるのだろう。豊は待った。最初の呼び出しが切れると、彼女が鼻息を零す音がした。それから慌ただしく二度目のベルが鳴り出した。

東京からでしょ、と沓子は言った。多分、と豊は呟く。沓子は一瞬悩んだ後、とったら、と言った。豊は、じゃあ、向こうの部屋で待っていてくれないかな、聞かれたくないんだ、と小さく告げた。躊躇《ためら》った後、沓子の体が動いた。そこで豊ははじめて沓子に背中を向けて受話器を摑んだ。作戦は順調だった。隣の部屋に行った彼女は、きっと暗がりの中で聞き耳をたてて光子との会話を聞いているはずである。豊は普通通り和《なご》やかに話をすればそれでよかった。結婚式場のことや、貸衣装のことや、光子の両親のことなどを。それらを自然に沓子に伝えることで、彼女自身に考えさせるのだ。いつかは来る最後の日のことを悟らせる。こちらからどうのこうの言うのではない。彼女が自分で考えて結論を出すことが重要だった。

豊は壁を見つめて光子と話し続けた。光子は十二月のタイの気候について質問してきた。豊はそれに対して一つ一つ優しく応対をした。沓子は隣室でこの愛が刹那《せつな》を漂うカゲロウのような儚い愛であることを認識しているはずであった。残酷な方法だな、と沓子の気持ちを考えると苦しくなった。こんなことをしなければこの場を切り抜けることができないのか、と胸に溜まった空気がもどかしかった。心を鬼にする、というのはこういうことを言うのかと豊は小さくため息をつき、湿った呼気を吐き出した。光子の声だけが元気よく耳元で弾けた。五分ほどが過ぎ、もっと話していたいけど国際電話じゃ仕方ないわ、と光子が告げ、やっと試練が終わりを告げることとなった。ああ、じゃあまた電話するよ、と言いながら、隣室の沓子の様子を探ろうと振り返った時であった。沓子は目の前にいた。彼女のまっすぐな厳しい視線が豊の二つの目を捉えた。すぐ目と鼻の先で冷たく硬質な眼光が瞬《またた》いている。

光子が笑っている。沓子にもその声が届いているのではないかというくらい珍しく彼女ははしゃいでいた。何がおかしくて笑っているのかさえもう分からない。冗談でも言ったに違いない。どうしたの、ねえ、豊さん、聞いてるの、と光子は言った。

「ああ、聞いているよ、じゃあ、また電話する」

豊の声が素っ気なく聞こえたのか、光子は不満そうに、なんで、どうかしたの、急に暗い声になって、なんか気に障《さわ》った、と言った。

「そうじゃないよ。いやなんでもない。ほら、長電話になってしまった。もうこんな時間だ。電話代凄く高いだろ。君の両親に迷惑がかかってしまう。今日はここで切ろう」

言い訳もうまくできなかった。それほど沓子の視線が豊の心に深く刺さっていた。沓子は黙っていたが、感情は饒舌《じょうぜつ》であった。どうするの、どっちを取るの？

暫く間があいた後、光子が不意に、最後に愛してるという言葉を聞きたいわ、と言いだした。最近聞いてないから寂しくて、と言った。豊は、咄嗟にどうしていいのか分からず、沓子の視線を逸らしてしまった。そして言い訳をする中学生のように、そういう言葉はね、しょっちゅう口にしてはいけないんだ。ここぞという時に効かなくなる、と言った。声には力がなく、舌を何度も噛み切りそうになった。

光子は、今がそのここぞという時だわ、と言い返してきた。いいや、もう少し待って、もっといいタイミングがあるはずだから、その時まで大切に取っておきたい、と苦しく突き放した。沓子の視線が痛かった。それはよく研ぎ澄まされた刃物のように、豊の頬や目尻や鼻の頭を切り付けてきた。

何もかも、その時が来たら、いいね、大事にしよう、と口早に付け足し、もうそれ以上は有無を言わさず、お休みを告げるとそそくさと受話器を下ろした。

沓子は冷えたスパゲッティにフォークを絡めはじめた。ぐるぐるぐるぐるとフォークはスパゲッティに絡みつき、何度も何度も皿の上でバレリーナのように回転をした。沓子は無表情のままそれを口に持っていった。視線を豊に留めたまま、スパゲッティを噛んだ。

「冷めても美味しいわ」

低いけれど芯のある声が豊の鼓膜をひっかいた。

作戦が失敗に終わった後、ますます事態は苦しい局面を迎えることになった。結婚の二文字はもう二度と口にはできなかったし、沓子は以前よりもいっそう強く豊の腕にしがみつき、日本人らしき人々を見つけると抱きついてきたり、酷い時は公衆の面前でキスをせがむこともあった。

沓子は自分自身が抱えたストレスを解消するために、買い物をした。しかしその買い方が尋常ではなかった。とても豊の給料では買えないようなヴィトンやエルメスなど高級ブランド品を手当たり次第に買っていくのだ。

「見てこのヴィトンの大型トランク可愛い。こういうのでアメリカやヨーロッパを旅行したい」

大型のヴィトンのトランクは豊の一月分の給料よりも高価であった。それを沓子は躊躇いもせずにぽんと買った。ザ・オリエンタル、バンコクのスイートに宿泊して、こんな高級品をまるでリュックサックでも買うみたいに気軽に買うことができる女性を他には知らなかった。いったい彼女の後ろにどんなパトロンがついているというのだろう。或いは彼女の父親が大金持ちなのか。想像するのが怖かった。豊は支払いを小切手でしている沓子の後ろ姿を見つめながら、同時に光子のことを思い出していた。光子に縋《すが》りつき、すまなかった、本当にすまなかった、と全てを打ち明けて謝ってしまいたかった。光子のことを考えると涙がでそうになった。しかし本当に泣くわけにはいかない。自分がこの愚かな道を選んでしまったのだから。

光子との電話の一件があってから沓子の酒の量は増えた。毎晩彼女は豊を連れ出してホテル界隈《かいわい》のバーを梯子《はしご》した。たいてい行く店は同じでホテルのバーか、ホテルの真ん前チャローンクルン通りにあるクラブ『バルコニー』であった。『バルコニー』のほうは歌手のトニー・アギラが毎晩出演しており、懐かしいヒットソングを歌っていた。三十代のトニー・アギラも沓子とは面識があるようで、彼女の顔を見るといつも笑顔を投げつけてきて、豊に仄かな対抗意識を芽生えさせた。

「あいつとなんか関係があったのか」

豊はトニー・アギラが沓子のためにと言って歌いだした時、訊いた。沓子は驚いた顔で豊の顔を覗き込み、にっこり、あったあった、と笑った。

先に酔っぱらうのは決まって沓子であった。酔って豊の肩に凭れかかる沓子の寝顔は色白で可愛らしかった。睫毛《まつげ》はくるりと大きくカールして黒い瞳の上に開いたビーチパラソルのよう。時々虚《うつ》ろな目で豊を探したりするので、豊はどうしていいのか分からず、痩せた沓子の肩を包み込んでそっと抱き寄せるのだった。

日が過ぎれば過ぎるほど、二人は無口になった。作戦が失敗してから豊は半ば投げやりになっていた。なるようにしかならない、と運を天に任せてしまった。自分が壊れるのではないか、と思うほど光子と沓子の両方を日々往復していた。

そんなある夜、ホテルのバーラウンジで沓子のことを知っているアジア人の男性客に、君たちのことはこの辺じゃすごく噂になってるけど、二人は結婚しないのか、と英語で冷やかされた。泥酔していた沓子は相手の顔もよく見ずに、あのね、男はみんな意気地なしよ、と言った。男も酔っていたが、沓子のほうがもっと酔っていた。アジア系の男は連れの白人女性に肩を竦めてみせた。沓子はすっくと起き上がると、馬鹿、と呟き豊にキスをした。豊の口の中に沓子の細い舌が忍び込んだ。アルコールと葉巻と香水の匂いが混ざり合った店内で、豊ははがい締めにあった。白人の女が笑った。誰かが口笛を吹いた。幸い日本人の客はいなかったが、豊はどうしていいのか分からず微動だにできなかった。

まるで何十メートルも潜《もぐ》ったダイバーのように沓子は豊から離れると大きく息をついだ。アジア人の男は笑いながらも、豊に、大変だな、とウインクを送る。豊は肩を竦めてみせたが、当の沓子は豊に抱きついたまま眠りこけてしまった。

サマーセットモームスイートまで豊は沓子を担いで歩いた。沓子は豊の首にしっかりと腕を回してはいたがすっかり体をなくしていた。ベルマンが駆け寄ってきて、水をお持ちしましょうか、と心配そうに豊に訊いた。すまないが部屋のドアを開けてくれないか、と頼むと、分かりました、と頷き同行してくれた。

部屋は客室係によって、綺麗に整え直されていた。テーブルの上の一輪挿しの花瓶にデンファレの花が挿してあった。ベルマンの青年が黄金の寝室のドアを開ける。豊はベッドの上に沓子を横たわらせた。瞬間離れようとした豊を、沓子の腕がぐいと引き止めた。

「行かないで」

最後の言葉を吐いた後、沓子の腕から力は抜け、白い二本の腕はだらりとベッドに崩れ落ちた。彼女は豊とベルマンが見守る中、深い眠りへと落ちていくのだった。

豊はベルマンにチップを手渡し、ありがとう、と告げた。青年は小さく胸の辺りで手を合わせ、仏教徒らしいお辞儀をした。青年が出ていくと豊は居間の椅子に座り、ベッドの上で眠っている沓子を見つめ途方にくれた。

いったいどうなるんだろう、と未来が不安になった。沓子はその時光子以上に豊の心の中で膨らんでいたのだ。それはどうすることもできない思いでもある。日に日に壊れていく沓子がいとおしかった。しかしそれを言葉にするのは危険であった。豊は西側の窓を開け、月光に霞《かす》むチャオプラヤー川を見た。自分はどこへ流れていこうとしているのだろう、ともう一度自問してみる。沓子の寝息が微かに聞こえてきた。

第七章

東垣内豊は押しつぶされそうなほど苦しい日々を泳いでいた。

親戚の安西康通・順子夫妻が彼に一言も告げずビルマへと転勤していたことが判明したのもこの頃だった。狭い社会なので彼らの耳にもいずれは沓子とのことが入るはずだと覚悟はしていた。電話もかけづらかった。式の前に、一度はこちらからしておかないとまずいだろうと思い、連絡をしてみたのだった。息子同然にしてくれていた二人が、何も告げずにタイを去った。日本人社会の中で生きづらくなったからに違いなく、心優しい彼らを後ろめたくさせたことに衝撃を受けた。

日本人会の担当を外されたのも同じ頃。理由は明らかであったが、上司の桜田はそのことについては一言も説明をしなかった。まるでクビを言い渡されるようにある時、もう日本人会には顔を出さなくていいからな、と言われた。

沓子とスクンビット通りを腕を組んで歩いても、一時期みたいに日本人たちは驚かなくなったが、その視線は一致して非常に冷たいものであった。

滝沢ナエからの手紙を、久しぶりに戻った自宅のポストの中に見つけた時、それを開けずに捨ててしまおうかと、豊は真剣に悩んだ。沓子と出会ってから彼は随分大切な人たちに数多くの不義理や裏切りを働いてきてしまった。滝沢ナエは仕事の面から生活の面まで、バンコクでは安西夫婦と並んで親同然に接してくれたある意味、タイの恩人とも言える存在で、婚約についても滝沢には真っ先に報告した。豊は覚悟を決めて封を切った。

前略

なにもいまさら言うべきこともないでしょうし、あなたも大人なのだから、ご自分がしていることの責任をとるおつもりなのだろうとは察します。でもどうか、迷わな

いでほしいと思うのです。悩んでもいいけれど、迷うとろくなことがありません。悩んで悩んで悩み抜いて人間は大きくなるのです。けれども、迷って迷って迷い抜いた人間は結局擦《す》り切れて薄っぺらになり最後は悲惨な場所に押し流されてしまうのです。後悔ばかりが残る人生だけはどうかお選びにならないように、細心の注意をはらって頂きたいと思います。

あなたが結婚を前に、このバンコク中の日本人を敵に回してまで恋をしなければならないほどにそのお相手には魅力があるのでしょう。きっとそうなのだと信じています。だとすればなおさら、あなたは確かな人生の決断を早くしなければなりません。先日、アマリンホテルの知人から、結婚式は予定通り執り行われると聞きました。人生には、様々な局面があるものです。ですから一概に私はあなたを批判はしません。あなたは少しボンボンだけれど、でも好青年であることには間違いはない。長い人生の中での一時的な間違いはこれはしょうがないものです。でもその猶予の時間もそろそろなくなってきました。犠牲は最小限に抑えなければなりません。だからこそ、あなたは今、迷ってはならないのです。悩んで決めなければなりません。もう迷う暇はないでしょう。結論は一つですね。あなたは今人生という道の二股に立っています。

どちらか一つを選ばなければならないのは苦しいかもしれませんが、それしか方法はありませんよ。いずれ、時間が答えを出してはくれますが、踏み出す一歩は、誰でもない、あなた自身が決めなければならないのです。

私は軍人だった夫とこの国に戻ってきた時、最初はタイの人達からもあまり歓迎はされませんでした。それでも二人で力を合わせて日本とタイの友好の橋渡しのようなことを続けてまいりました。夫が病に倒れ、私をここに残して他界した後も、私はここに残る決意をしました。随分と悩みましたが、迷いはありませんでした。まだ今日この時点においても、反日の感情が燻《くすぶ》っていることは事実ですが、少しずつタイの人々の心が日本人に対して開かれてきたのも事実で、役に立てていることを誇りに思っています。私があなたを自分の子供のように愛し、応援してきたのは、あなたに多くのことを託したかったからでした。でもどうか、重荷には感じないで下さい。好青年といえども、迷い、堕落する時はあるものです。私は人生においてそういう堕落は必要なことだと信じています。そういう苦しい堕落を経験した人間には必ず正しいものを見抜く力が宿るということを。だから私はあなたに今自分を見つめなおしてほしいのです。これは誰かのお導き、それを神と呼んでもかまわないけれど、神様のお力

が及んだ一つの試練だと受け止めて頂きたい。そしてこれからの長い人生のことを考えてどちらに踏み出すか、決断して頂きたいのです。

ながくなりました。もっと簡潔にお伝えしたかったのに、年寄りの主張みたいになってまことに申し訳ありません。でもあなたが心配だから、どうか心の片隅に私の拙《つたな》い忠告をお留め置き下さい。かしこ。

滝沢ナエ

杳子とは持久戦に突入していた。挙式を僅か三週間余り後に控えて二人の間で緊張はますます高まっていた。なのに、二人はその動揺を顔には出さないようにしてお互いに接し、日々振る舞っていた。

別れなければならない日が近づくにつれ、その捌《は》け口はただただ肉体的交接に向けられることになった。杳子は荒々しく暴力的に求めてきた。豊はそれを拒絶してはならなかった。杳子は爆発しそうな気持ちを必死になって抑えていた。その感情を逆撫でするようなことだけは、好青年として、決してしてはならなかった。

性器の付け根が痛くなるほど二人は激しく繰り返し抱き合った。性欲はなかった。快感もない。それでも肉体を奮い立たせなければならなかった。沓子の泉のほうも出会った頃のように湿って溢れているというのではなく、朝、昼、晩、朝、昼、晩、と繰り返されて、乾きはじめていた。そして興奮もなく、愛の囁きも途切れて、ただ無性に激しく擦《こす》るたび、二人は繊細に傷つき合った。皮膚が擦れるたびに二人の魂も心も気持ちも全てのセンチメントに細かい切り傷が走り出した。

豊はそんな沓子の目を盗んで、アパートに戻り、週に一度の光子からの電話を受けたり、送られてきた手紙を読んではその返事を書き投函していた。そのことを沓子が気づかないわけはなかった。半ば沓子は見て見ぬふりをしていた。それがいっそう彼女の精神に重苦しく切ない圧力を加え、擦り切れさせた。

それらの苦痛から逃げるかのように、二人は遺跡で知られる北部の古都アユタヤまで旅行をすることを決めた。彼女はホテルのボートを借り切った。普通は大人数用の、この辺りではちょっとは豪華な観光用の船であった。二人は籐製の長椅子をデッキに並べて置き、そこに寝そべってはココナッツのジュースやタイ・ビールを飲みながら、うとうととした。ガイドの青年たちが、大きな南国の植物の葉で作られた団扇《うちわ》を使って煽《あお》ぎ、贅沢な涼を演出した。

船は長閑にチャオプラヤー川を北上した。汗で湿った頬を風が吹き抜けていく。心地のよい南風だった。

喧騒溢れるバンコクを出るとそこは別世界、何も遮るもののない田園風景が続いた。地平線まで田んぼしか見えない平坦な土地である。水牛を引いた農民が果てしなく続く田んぼの中程で農作業をしている。田植えか何かをしているのだろうが、あまりに動きが遅く、それは視界の中にピンで押さえつけられたように動かなかった。

杳子は大きなサングラスをしており、豊には彼女がどこを見ているのか分からなかった。チャオプラヤー川の先を見ているようでもあったが、もっと別のものを見ているような気もする。噤《つぐ》んだ唇の先端に力が宿っているのが伝わってくる。穏やかな景色とは裏腹に、彼女は噴火を待つ火山のように、じっと何かに忍耐していた。

アユタヤに着くと船を待たせ、二人は水上レストランを訪れた。川岸に接岸された屋根付きの大きなボートが食事をするテラスの役割を果たしていた。デッキにテーブルが並べられており、そこで観光客が食事をすることになっている。料理は、岸にある厨房で作られ、ウェイトレスたちが不安定な手作りの橋の上を渡ってのんびりと運んだ。まだ昼には少し早いせいもあって、豊たちの他にはドイツ人の老夫婦が端の席で静かに川を見ながら食事をしているだけであった。

杳子は次々に注文をした。まもなく、ストレスを解消させるためにそうしていると しか思えない量の料理が運ばれてきた。鶏肉のココナッツスープ、トムカーガイ。揚げ麺を使ったカレー風味のかた焼きそば、カオソーイ。青いパパイヤを千切りにして和えた辛口のサラダ、ソムタム。野菜炒めのパット・パック。蟹のカレー炒めプー・パッ・ポン・カリー。鶏肉と白ナスのココナッツ・カレー、ケーン・キャウワー。シーフードの辛味炒め、パット・ペット・タレー。とどめは雷魚の姿煮、プラーチョン・ペサであった。

並べられた食事を見て豊はため息を漏らした。

「これを全部食べるのかい」

杳子はそれには答えず黙々と箸をつけた。しかしどうせすぐに食べきれなくなって、投げ出すのは目に見えていた。残りは全部豊が処理しなければならないのだった。

唐がらしの辛さとライムの酸味、それにパクチーと呼ばれる香草の風味が加わったタイ料理は自然な汗を誘った。ここでも風が二人の感情の乱れとは別に、心地よく穏やかに流れていた。

川面は濁った深緑色をしており、川全体が一つの動物のように生々しく流れていた。ウェイトレスたちが船と岸を結ぶ橋を渡るたびにギイギイと乾いた音がした。対岸には葦《あし》が生い茂り、それより上は雲一つない乾季のタイの青空である。

「もう御馳走さまですか」

と豊が冗談めかした口調で問うと、箸を置いて食べ物を苦々しく見下ろしていた杳子は、

「だって仕方ないでしょ」

と答えた。その目はまっすぐに豊の二つの眼球へ突き刺さってきた。甘えている目でもあり、怒っている目でもあった。

「ずるいわ」

杳子が吐き出すようにそう告げたので、豊は思わず笑みを引き下げた。用心しながら杳子の顔色を窺う。杳子も胸にずっと支《つか》えたままのもやもやをどうしていいのか分からない様子で、自分の興奮を抑えようと息を何度も飲み込んだ。

「ずるい。君は本当にずるい」

豊は川面に視線を逸らした。雷魚だろうか、川の中程で何かがぴしゃりと跳ねた。幾重にも輪ができ、それは美しすぎるほど優雅に広がっては消えた。

十二月は目前だった。クリスマスイブには光子とその家族たちが大挙タイに押し寄せてくる。

「ずるいよ。ずるすぎる」

杳子の挑発に乗ってはならなかった。この場を修復するためだけのいい加減な言葉を吐こうものなら、杳子はこれ見よがしに怒りを爆発させるに決まっていた。どんなに優しい言葉を紡《つむ》いでも、光子と結婚するという事実は動かないことを杳子は知っていた。彼女のストレスは今や頂点に達しようとしているのだった。

豊はひたすら言葉を慎んだ。彼女の機嫌を損ねないような態度をとらなければならなかった。微笑んでもならず、無表情でもならず、無気力でもまずく、無関心ではいけなかった。責任は自分にあるのだが、とどこか申し訳なさそうに、俯いているのが一番であった。

頑になった杳子の気持ちがほぐれていくのをじっと忍耐するしかなかった。

「ずるい、ずるい、ずるい」

杳子は呟くように小さく口の中で繰り返した。まるで呪文のような響きを耳奥で受け止めながら、この時豊は大きく心を揺さぶられていた。光子と杳子のどちらを自分が本当は欲しているのか、分からなくなりはじめていた。

彼女を怒らせ、光子との結婚を妨害されることを、かつてほど恐れているわけではなかった。当初はそういう不安のほうが確かに大きくもあったが、むしろ十二月が迫ってきて、豊は別の迷いの中にあった。本当に光子と一緒になることが自分の幸福になるのだろうか、と考えはじめていた。出世とか安定から遠いが、日常に刺激があるほうが人生に飽きることもなく、楽しいのではないか、と。

それに杳子とのこの短い日々は彼の単調で面白味のない決められた人生の中で他のどんなことよりも尊く輝いていた。それは事実だ、と豊は自分の心に訴える。何より杳子の人間的な魅力に負うところが大きかった。無邪気で破天荒で予測がつかない冒険的な生き方。それは、決められた軌道の上を必死ではい上がってきた、ある種鋳型の中で育った豊の人生よりも何倍も自由でのびのびとした生き方のように思えてならなかった。勿論、湯水のように使える彼女の資金の謎というのはある。何か暗い影のようなものが背後で蠢《うごめ》いているのかもしれない。それでも、決まりきった生き方しかできない自分なんかよりよっぽど輝いている。そう豊は考えた。杳子がいとおしかった。彼はここに来て、滝沢ナエの忠告に反して、大きく迷いはじめてもいた。

食後二人は遺跡群の中をあてもなく歩いた。アユタヤは東西七キロ、南北四キロに及ぶ島で、十四世紀頃からの歴史的な遺跡がそこら中に散在していた。長い年月の中、王宮や寺院はビルマの侵略や国内の反乱によって幾度となく破壊され、建て直され、或いは風化して現在のようになった。

ワット・プラ・マハタートと呼ばれる寺院は、ビルマ軍に破壊された当時の面影をそのまま現代まで残した、神秘的で奇妙な遺跡であった。遺跡の入り口には、仏像の頭が埋め込まれた不気味な木の根があり、それを見た杳子は顔を顰めた。遺跡の中の石の仏像は全て頭が切断されており、当時の殺戮《さつりく》の模様が生々しく残されていた。しかしそれらの歴史の傷痕も今ではすっかり観光の小道具に過ぎなかった。バンコクからバスやボートや列車でやって来た観光客は日常を忘れて時の浸食がつくり出した芸術に思いをはせた。

風化の激しい寺院の石段を、手すりもロープも何もない傾斜のある石段を、二人はゆるりゆるりと登った。ここだけは豊が沓子をリードした。沓子は逞しい豊の腕に縋って、一つ一つの石段を登っていった。靴が脱げそうになったり、足が重くなって動けなくなると、豊は迅速に身を動かして彼女を支えた。

頂上からアユタヤを一望することができた。尖塔の突端に並んで腰を下ろし、爽やかな汗を拭うと、遮るもののない四方を見回した。歴史だけがそこにぽつんと取り残されたような、時間を超越した眺めが広がっており、二人はしばらく声もなく、三百六十度に広がる地平線を見回した。

沓子は黙っていた。水上レストランを出てから二人は言葉をずっと失ったままであった。涅槃《ねはん》仏のような白い雲が空の彼方を漂っていく。この地で勇名をはせた山田長政は、何百年も前にここで同じような空を見ていたのだろうか。日本は遠かった。

「どうしてタイへ来たの？」

豊は雲を見ながら質問をした。沓子のことを知らなさすぎた。わざと訊かないようにしていたということもあるし、沓子にしても自分のことを語りたくなさそうにいつもしていた。どうしてあんな高級ホテルで暮らせるのか、どうして働いていないのにあんなに高価な買い物ができるのか、その理由を豊は真剣に知りたいと思った。

「お金持ちなんだろうけど、なぜ金があるのかも訊きたい。いつもご馳走してもらっているお金の出所を訊いておきたいんだ。そうじゃないと、美味しいものも美味しいと思えなくなってしまう」

あまり直接的な質問だったせいか、沓子が吹き出した。久しぶりに見る彼女の笑顔でもあった。その笑いで、二人の間に横たわっていたギスギスした空気が一時的に緩和されていった。沓子は豊の目を覗き込んだ。

「知りたいの？」

「ああ、知っておきたい。だってさ、あまりにも君のことを知らなさすぎる。この三ヵ月、抱き合うばかりだった」

沓子は声を出して笑いだした。ひとしきり笑うと、すっと真面目な顔に戻って再び空の果てへ視線を戻し、そうね、と呟いた。

長い沈黙の後、

「君に事情があるように、私にも私なりの事情があるのよ」

と告げた。

「どんな？」

風化した石の破片をつまみ上げ、彼女はそれを放り投げた。ころころと転がり落ちる石が停まるのを見届けてから今度は微笑んだ。それから口をギュッと真一文字に結び直した。少し考えた後、意を決するように、うん、と頷いた。

「先月だったかな、ホテルのバーで私とっても酔っぱらったでしょ」

豊は、ホテルのバーという記憶を探した。

「中国人の男が白人の女といたでしょ」

中国人、と豊はおうむ返しにその言葉を口腔で反芻してみる。

「あの男に、この辺じゃすごく噂になっているけど、君たちは結婚しないのかって、訊かれたじゃない」

豊は記憶が一致して、ああ、と思わず漏らした。ザ・オリエンタル、バンコクのバーラウンジで隣に座ったアジア人の男から英語でそう言われた時のことを。金髪の白人女を連れていた少し気障《きざ》な風貌のアジア人。薄暗いバーの雰囲気。流れていたジャズの気だるいサウンド。そして室内に留まった喧騒と葉巻の煙。

「君が酩酊《めいてい》していた夜だろ。部屋まで連れて戻るのが大変だった時だ」

「私はあの夜どうして酩酊したと思う」

豊は沓子の眼球の淵に溜まる光を見つめた。目前に迫った光子との結婚のストレスではないのか、と豊は心の中で呟いてみるが、それを言葉にはできなかった。

「あの男がバーにいたからよ」

「あの男？」

意外な返事だった。

「あれは私の前の人」

「どういうこと？」

「ｅｘ‐ｈｕｓｂａｎｄ」

「前の夫って、君、結婚していたのかい」

「していたわ。あの人と五年も」

爽やかな風が頬を湲《さら》った。同時に心の中に湿りけを覚えた。アジア人の男は白人の女性を連れて途中から隣の席に座った。沓子の真横の席だった。しかし沓子とそのアジア人の男性が会話を交わした記憶はない。彼女が男を見ていたようにも思えなかった。ただ彼女のアルコールの量が増えたのはあの時を境にしてであった。

「あの人はこの一帯で石油を扱っているの。東南アジアで彼の名を知らない人はいないくらいの富豪。他に新聞社も持っているし、テレビ局も持っている」

そうか、と頷くのが精一杯だった。確かにどこかで見たことのある顔であった。『ＡＳＩＡ ＷＥＥＫ』か何かの雑誌で顔写真を見たことがあるような気がしてきた。東南アジア一帯で成功を収めている若手の実業家。そういえば、安西夫婦もあのアジア人と取引をしていたはず、と豊は思った。だとすれば自分が付き合っている女がその男の前の妻だと知って、バンコクを離れたということも考えられた。豊は唇を嚙んだ。


「最初、香港で知り合って、すぐに結婚をした。私は当時香港の外資系の商社に勤めていたの。まだ入社したてで、しかも香港にも赴任したばかりで何も分からなかった。部屋が見つかるまで、ホテルで暮らしていたの。そこのプールで彼と知り合った。三十歳も年上なのよ、恋というよりは親子のような交際だった」

その頃を思い出して沓子は笑った。

「でも向こうの親には随分と反対をされた。しょうがないわね、私は料理もできないし、家庭に納まるタイプじゃないから」

沓子は脚を組んで両腕で抱えた。いつになく素直な横顔である。石の間に生えた雑草を指で摘み、先端をくるくると何度も回した。

「彼の家族との生活は楽しくはなかったけど、彼のことは好きだった。私ちょっとファザコンの気があるせいかな、年上の男にずっと憧れていた。……だから別れてくれと言われた時は辛かった。いきなりなんだもの。人事異動じゃないんだからって怒ったけど言いだしたら聞かない人だったから。物凄い額の慰謝料を渡されたわ。一生かかっても使い切れないほどのお金。お金なんか……」

雑草を無造作に引き抜いた。

「あの男の隣にいた白人の女が新しい彼の妻。アメリカ人のモデルだそう。敵《かな》わないわね、あんなにグラマーなの見つけられちゃ」

ふふ、と彼女は笑ったが、その笑みはすぐに消えた。

「悔しくて、仕返しをしてやりたかった。あの女に負けないイイ男を探して、バンコク中を連れ回してやるの。特に彼の出没しそうなバーやレストランを選んでつぶさに」

豊は、えっ、と訊き返した。杳子は、そうなの、と頷いた。

「あなたを最初に見た時、閃いた。あなたはスポーツマンだし、器量もいい。何より好青年でしょ。連れ回せば、いつかは彼の目にも留まる。焼き餅をやかせたかった」

豊の脳裏に、アパートを訪ねてきた時の沓子の華やかな姿が過った。閉じられるカーテンの音、椅子に放り出された花の美しい色合い。ベッドの軋む音。縒《よ》れたシーツが描く流線。

「ちょっと待って、じゃあ君は僕に一目惚れして近づいたのではなくて、復讐に利用するために……」

「ええ、そうよ」

「そんな」

「でも、ちょっと聞いて。最初はね、最初はそのつもりだった。カッコイイ男と腕を組んで歩いているところを別れた夫に見せつけてやりたかった。もう戻ってこないのは分かっていたけれど、彼に後ろ髪を引かせたかったのよ。だから君に婚約者がいようと構わなかった。一時期だけ君の瑞々しさを借りるつもりでいただけだから。でも……」

沓子は東垣内豊を振り返ると、こう呟いた。

「でも、それは私の計算違いだった」

杳子は一度俯き、目を瞑ってしばらく迷った後、今度はキッと顔を上げて続けた。

「君にどんどん惹かれていったわ。君と抱き合ううちに、復讐なんかどうでもよくなっていった。男の人をはじめて損得でなく受け入れることができるようになった。いつも男性は私にとって利益を持ってくる配達人でしかなかったのに。君は私が養ってでも傍に置いておきたい男。君は可愛い人」

「しかし……」

「悔しいけど、これは本当のこと……」

東垣内豊は驚きつつも、はじめて聞く杳子の人生の事情と本当の気持ちに心が苦しみ、揺れた。可愛い人という言葉に彼は素直に嬉しいと思った。しかしそれに応えてはならなかった。自分もそうだ、同じ気持ちだ。ずっとお前と一緒にいたい、などと言ってはならない。豊は黙った。そして大地の遥か先に視線を届けた。

杳子は豊の胸に顔を押しつけてきた。強引にではない。いつになくしおらしく、まるで少女のように。豊は彼女を抱きしめていいものかしばらく迷い、それからそっと肩に手をあてた。杳子が自分に近づいてきた理由というのが分かった。彼女がザ・オリエンタル、バンコクで暮らしている理由も分かった。彼女が金持ちの理由も。そして時々、性格とは正反対の空虚な光を瞳に溜める理由も。

何もかも分かってすっきりとするはずだったのに、逆に苦しくなってしまった。

二人はワット・プラ・マハタートの頂上で言葉を投げ掛け合うかわりに、口づけを交わした。それはかつてないほどに甘く、優しく、ふわりとしているのに、ちくりと切ないものであった。

第八章

アユタヤへの小旅行を境に、世界は一変した。

十二月の時間の流れは通常の月の数倍の速さに感じられ、もう自分の力ではどうすることもできない段階に突入したことを、東垣内豊は目が覚めるたびに自覚しなければならなくなった。

毎日のように光子から細かい打ち合わせの電話が入りはじめたため、豊は会社が終わると一旦自分のアパートへと戻らざるを得なくなった。光子との電話が済んでから、再び沓子のいるザ・オリエンタル、バンコクへと向かうのである。

戻りが遅くなる理由を豊は沓子に説明しなかったが、東京との連絡であることは当然知られていた。アユタヤである程度気持ちを吐露《とろ》したとはいえ、沓子のいらいらは決して収まるほうへとは向かわなかった。むしろ彼女は自分の気持ちを豊に一方的にだが伝えたわけで、それに対しての返事を豊が戻さないことで、逆に関係がぎくしゃくと軋みだしてもいた。豊は沓子の気持ち、――と言っても好きだとか愛してるという直截《ちょくせつ》な言葉ではなく「君は可愛い人」という抽象的なものだった、――が聞けて嬉しかったことは確かであった。しかし豊はそこで情に流されてはならない、と自分を戒《いまし》めていたのである。

沓子は豊を待っている間の寂しさを紛らわすために、いっそう買い物へとその憂さ晴らしの矛先を向けていた。彼女の部屋には毎日エルメスやヴィトンといった高級品がひっきりなしに届けられ、玄関を入ってすぐの部屋は積み上げられていった商品でまるで倉庫のようになっていった。

クリスマスを一週間後に控えた夜、豊が戻ってみると、沓子の目が尋常ではなく、何かにとりつかれたようにつり上がって、まるで狂気そのもののような輝きを放ち、どくどくと燻っているのを発見した。それはマグマが八合目まで達した活火山のような状態であった。

買ってきた服を次々に着替えては、黄金の寝室の真ん中に置いた鏡の前で一人、フアッションショーをしていた。東垣内豊はただいまを言うことも許されず、彼女の独り舞台を後ろから覗くことしかできない、うすのろな観客にならなければならなかった。

脱ぎ捨てられた衣服がベッドの上に無造作に重ねられていった。音楽もない。笑いもない。拍手もない。ただ着ては脱ぎ、脱いでは着るだけのファッションショーである。

サマーセットモームスイートの贅沢な濃いピンク色の壁紙がその狂気をさらに物悲しく演出していた。革命が起きた王国の哀れなお妃《きさき》のような痛々しさ。華やかであった頃を懐かしみながらも、すぐそこまで迫った反乱軍がいつ押し寄せてくるかと戦《おのの》く王妃のような青ざめた顔で沓子は次々着替えていくのであった。

彼女は悔しさに胸元を何度も掻きむしりながら服を脱いでは裸になった。括れた腰とその下にあるふくよかな臀部の見事な連なりに豊は思わずうっとりとした。その臀部からまっすぐに後頭部まで伸びる背骨の美しいラインに見とれた。彼女が壊れていけば壊れるほどにその肉体は妖艶に迫ってきた。ふくらはぎの下の足首は細く、今にも折れそうな枝を連想させた。踵《かかと》の半球状の丸みが艶めかしい。二の腕の微かな弛《ゆる》みはエロティックで、興奮を連れて迫ってきた。悲しげに自分の肉体を抱きしめる腕の先で、彼女の細く白い指先がピアノでも爪弾くかのように動いていた。

　杳子はビーズでできたサマードレスを摑むと着た。それからくるりとターンをしたが、バランスを崩しその場に倒れ込んでしまった。豊は起き上がろうとする彼女に慌てて手を差し出したが、激しく拒絶されて胸を強く押され、そのままベッドに仰向けに倒れ込んでしまった。

　杳子は侮蔑するような視線で豊をしばらく睨《ね》めつけていた。それからおもむろにドレスを脱ぐと、今度は豊に跨がり、彼が着ているシャツを脱がせはじめた。枕元のボタンを押して室内に煌々《こうこう》と灯る明かりを消した。

　窓から差し込む月光によって彼女の輪郭が確認できた。悲しげな顔が分からないだけ、救われた気分がしたのも束の間、腹部に生暖かい温もりを覚えた。それが杳子の涙だと分かると、豊にもその苦しみが感染してしまう。

　涙はどんどん落ちてきた。雑巾を絞るようにぼたぼたと途切れることのない大量の涙。これほど沢山の涙を彼女はどこに隠し持っていたのだろう。鉄の魂を持っていると思った杳子が泣いているこの事態に、豊も平静ではいられなかった。

豊は手を伸ばし、臍《へそ》の周辺に溜まった涙の池に触れた。精液のような涙だと思った。指先についた涙をそっと嘗《な》めてみると、潮の味ではなく、なぜか甘い蜜の味がした。

沓子はまもなく声を出して憚《はばか》ることなく泣きだした。涙はこの黄金の寝室を埋めつくすのではないかと思うほどの勢いで流れ出てくる。抑えていたプライドも今や崩壊し、気高かった王妃は見苦しく惨《みじ》めに泣きわめいてしまった。しかしその仮面を剝《は》いだ姿は豊の心に染みいって、彼の感情をもはがい締めにしてしまうのだった。

沓子と豊は彼女の涙の海の中で一つになった。沓子は泣きながらオーガズムをむかえ、豊の腕の中で静かに痙攣《けいれん》した。痙攣が治まると、彼女はぐったりとし、それから小さく決意するかのように嘆息を漏らした。

「東京に戻ることにしたわ」

不意に、暗闇の中で声が弾けた。予想もしなかった言葉が飛び出したことで、豊は思わず息を飲み込んでしまう。

沈黙は三十分にも及んだ。その間二人はお互いの出方を探るようにじっと動かず次の一手を待ち続けた。沓子は豊の胸に耳を押し当てて、こっそりと心臓の音を聞いていた。豊は鏡の中、朧《おぼろ》げに映る沓子の横顔を覗いていた。

豊はここで決して喜びの声をあげてはならなかった。沓子の決意が覆《くつがえ》るような安堵の顔を浮かべてはならなかった。油彩画の中の自画像のように、じっと無表情に何かを見つめていなければならなかった。

「クリスマスの前日にはバンコクを離れるから」

沓子が豊の顔色を覗き込んでいる。豊はまっすぐに沓子を見つめ返したが、その視線の袂にはなんの感情の色も滲ませないように気を使った。

「クリスマスに君は結婚をする」

沓子は豊の唇に自分の唇を近づけながらそう呟いたが、豊はマネキン人形のように動かなかった。沓子の息が顔にかかる。彼女の鼻先が豊の顔の皮膚の上を這う。

「婚約者とその家族がやって来て、君はここバンコクで新しい生活をスタートさせなければならない。私がここにいては困るでしょ」

豊は視線を部屋の隅へと移した。沓子は豊の下唇にキスをした後、そこを嚙んだ。嚙み切られるのではないかと思われるほどの強さで。

「君の幸せを壊す権利は私にはない。君の婚約者の未来を踏みにじる権利も私にはない。私は君を利用したんだし、君と暮らせたここでの思い出は美しいものばかりだった。前の人に捨てられてどん底にいた私を一時期幸福にしてくれた君に感謝をしている。だから私はここを去るのよ」

沓子はもう一度柔らかい唇を豊の唇に重ねてきた。今度のはとてつもなく温かく、蕩《とろ》けるほどに柔らかい極上のキスであった。噛まれてひりひりとする下唇を沓子の唇が吸っては離した。豊は辛抱した。自分に打ち寄せてくるあらゆる感情の揺さぶりに対して我慢し続けなければならなかった。

「愛していたわ」

沓子が突然そう告げた。はじめて言葉にする、愛、の一言であった。しかしそれは残酷にも過去形であった。見つめていた黄金の寝室の闇が歪《ゆが》んでいくような錯覚に陥る。不意に涙が瞳から零れて出てしまう。感情を見せてはならない、と思うが、肉体は正直であり、心は何より好青年であった。

「愛していた」

沓子は流れ落ちる涙に口づけをした。豊も沓子が好きだった。光子と比べることはできなかったが、沓子には他の誰とも比べることができない不思議な魅力があった。どんどん引っ張られていく強い引力があった。そこが同時に怖くもあった。

一瞬、まだ間に合うだろうか、とも考えてしまった。しかし、彼は心の中で首を振り続けた。沓子に惹かれているのは一時的なものに過ぎないのだ、と。価値観も金銭感覚もあらゆることが自分とはかけ離れていた。沓子は手に負える女ではなかった。一生振り回されてしまうのは目に見えていた。折角築いたこの人生を台無しにする冒険は彼にはできなかった。どんなに好きでも、どんなにいとおしくとも、添い遂げることができない人もいる。

だから豊は涙を流したのだった。自分にもっと破天荒な力があったなら、自分に人生を恐れない無謀さがあったなら、運命を逆転できる強い精神を持っていたなら、と悔しんでの涙でもあった。

「愛していたわ」

沓子の囁きは続いた。しかし好青年はこの時点でもまだ、決して「愛」という言葉を口にしてはならなかった。彼は自分が壊れそうになりながらもそれを我慢した。愛している、と言いたかった。愛していると叫びたかった。でもそれを言葉にすると、取りかえしがつかないことになってしまう。苦しく、何度も迷う。目を瞑り、沓子の亡霊が彼方に消えてしまうのをひたすら待つしかなかった。

ザ・オリエンタル、バンコクにいつもと変わらぬ朝が訪れた。サマーセットモームスイートのベランダに小鳥たちが集まり喉を競っている。その囀《さえず》りで豊は目覚めた。腕の中にいつもと変わらぬ沓子がいる。しかしこのいとおしい眺めは後一週間しか拝むことができない切ない眺めでもあった。

沓子が脱ぎ散らかした衣服が部屋中に散乱していた。それらは窓から差し込む朝日を浴び、まるで大蛇の脱皮した後の皮のようであった。沓子は全てを脱ぎ捨てたのだ。

豊は沓子との最後の日々を消化しながらも同時に、迫っている挙式の準備に追われ、会場となるアマリンホテルと自分のアパートとザ・オリエンタル、バンコクとの間を奔走した。

相変わらず毎晩、沓子との関係は続いていたが、二人とももう何の言葉も交わし合うことはなかった。ただ残された時間、お互いの匂いを記憶に留めようと必死で相手の体臭を嗅ぎ合っているという感じが続いた。

「もうすぐね。待っていてね」

光子が受話器の向こうで言った。その瞬間も豊は沓子のことを考えていた。

「私、一生懸命豊さんのいいお嫁さんになるため努力するからね」

光子が幸福そうであればあるほど、その陰で一人孤独な未来を見つめている沓子が気になった。

「忙しいのに、あなた一人に準備をさせてしまってすみません。そちらに行ったらいろいろと勉強して、あなたを支えてみせます。だからもう少し頑張って下さい」

健気《けなげ》な言葉を光子が発すれば発するほど、そしてそれが豊が選んだ幸福の設計図に沿ったものであればあるほど、豊は重たく沈み込んでいった。

ここで今更気持ちが揺れるのは光子に対してだけでなく、潔く身を引いた沓子にも申し訳がたたなかった。

「毎日ちゃんと食べていますか。毎日ちゃんと寝ていますか。これからは私がしっかりと管理してみせます」

豊は自分が描いてきた幸福という在り来りの天国に安住できる自信をすっかりと失っていることに気がついた。光子の口から出てくる優しい言葉を、あれほど待ち望んでいたというのに、今は破滅してでも気持ちに正直に生きたいという揺さぶりの中にいた。

「どうしたの？」

光子が黙っている豊を心配し、そう告げた。

「いや、ちょっと疲れているだけだよ。心配しないで大丈夫」

光子は素直にその言葉を信じた。

「愛している、という言葉を大事にしたいって、前に豊さんが言ってらしたこと、最近私なりに考えるようになったんです」

豊は不意に耳奥に熱を覚えた。それは痛みを伴った熱である。

「そんなこと言ったかな」

「言ったわ。今、愛してると言って、と私が我が儘にせがんだ時、豊さんは、安易に使いたくない、とおっしゃった。一番いいタイミングに使うからというようなことを言った。私、最初は不安だったけど、今はあなたの誠実さがよく理解できる。海を越えてバンコクに着いた時、豊さんの口からその言葉をしっかりと聞くことができる幸福を楽しみにしている」

豊は光子に勘づかれないように嘆息を零した。目の前がうっすらと白みはじめ、あらゆる疲れが彼の神経を白濁させていった。何が幸福なのか、分からなくなっていた。沓子を失った後、そこにぽっかりとあくだろう穴ぼこのことを想像してはうろたえるばかりであった。

クリスマスイブの前日、光子たちの到着を翌日に控え、豊はザ・オリエンタル、バンコクのリバーサイドテラスの、もっともチャオプラヤー川沿いの席に沓子と向かい合って腰を掛け、対岸に沈む夕日を見ながら食前酒を飲んでいた。大きな真っ赤な太陽だった。それは生き物のように空に揺らめいていた。生暖かい風が豊の頰を淩う。

この期《ご》に及んで気持ちが大きく揺れて仕方がなかった。しかしそれを沓子に勘づかれるのはもっとまずい。最後まで強く気持ちを持って、容赦なくすっぱりと別れなければならないのだった。

料理が運ばれてくる頃になると、太陽もすっかりと沈み込んで、宇宙と空が溶け合いはじめていた。気のはやい星たちがあちこちで瞬きはじめている。

「はじめて人を好きになったのは小学生の頃、友達のお兄さん。その人は中学生で、小さくてませていた私はいつもその人に憧れて必死に追いかけていた」

沓子は料理には手をつけず、川面を見つめたまま呟いた。

「はじめてキスをしたのは中学一年生の頃のこと。好きでもなんでもなかった。ただ、キスをしてみないか、と先輩に誘われて好奇心でしてしまった。はじめてのセックスもそんな感じかな。高校生の頃のこと。相手は家庭教師の大学生。一年交際したけど、その子とのセックスは最低だった。でもまだ世界を知らなかったからこんなものなんだろうと思っていた。本当に人を好きになったのは大学一年生の頃。一回り以上年上の人で、小説家だった。恋愛小説ばかり書いている人だったけど、恋愛の苦手な人だった。私の大学の創作科の先生をしていて、私は彼の生徒だった。追いかけても追いかけても逃げていく人だった。あっちこっちに恋人がいるのは知っていたけど離れられなかった。一度その人を自分だけのものにしようと企んだことがあって、つまり殺してしまおうと思ったんだけど、寝顔を見ているうちに諦めてしまった。私はその人に依存しすぎてしまって、その人がいないと何もできなくなってしまった。その人は私の神様だった。そんな少女のような時期もあった。もう遠い昔のことだけど」

杳子の突然の独白に豊は戸惑いながらも、静かにそれに耳を傾け続けた。

「東京に戻ったら、その人を訪ねてみようかなって思っているの。彼は四十代半ばになっているはず。どう思う？」

豊は言葉に詰まった。心の中では嫉妬をしているが、駄目だ、と言うことは許されない。返事を戻せずにいる豊を見て、沓子は微笑んだ。

「彼だったら、きっと私を慰めてくれる。ぼろぼろになった私を包み込んでくれるはず。今の私を理解して、また満足させてくれるのは彼だけ。彼は多分、久しぶりだね、と言うだけ。後は何も言わず、また昔のように優しく私を可愛がってくれるんだわ。そして私をただの一人の女に戻してくれる」

沓子の瞳がまっすぐに豊を捉えた。

「一時だけの避難場所としては最適でしょ」

放心したような疲れ切った顔をしていた。もう微笑んではいなかった。

「前の夫もその先生に似ているところがあったな。どうしてそんな男ばっかりを好きになるのかしら。根無し草のようなふわふわした人たちばかり。いい男なんだよね。いい匂いがするんだよね、みんな。でも絶対に私のものにならない人たちだった。いや誰のものにもならない人たち。そんな男にばかり憧れてしまう」

沓子は無表情のまま続ける。豊は感情の袂をとっくに切断して聞いている。

「君は彼らとはまったく正反対の男だった。でも君にも彼らに負けないフェロモンが出ている。それに気がつかなかったのは私のミス。まさかこんなに好きになってしまうとは思わなかった。君はとても可愛いの。はじめてよ。年下の男を好きになったのって。私はずっとファザコンだと思っていたから、年下でお坊ちゃんで、好青年風の男には絶対惚れないと思い込んでいた。だからあなたをターゲットにしたの。いったいどういうことかしら。苦しいわ。……まったく、とんだ誤算だった。前の人に焼き餅をやかせようとしただけだったのに、こんなことになるなんて。最低よ」

そこへギャルソンが頼んでいない赤ワインを持ってやって来て、ミセスマナカ、これはジェネラルマネージャーからお二人にです、と笑みを絶やさず告げた。男が振り返ったほうを見ると、ザ・オリエンタル、バンコクのまだ若いドイツ人の支配人が二人に向かって小さくお辞儀をした。いつも控えめで紳士的な人物であった。

「スタッフ一同、ミセスマナカ様が東京に戻られることを寂しく思っております。いつも華やかで美しく、優雅に館内を歩かれていたお姿は私どもの心の憩いでもありました。どうか日本に戻られても私どものことをお忘れになりませんよう。ともに生活をさせて頂いたこの数年の素晴らしい記憶を励みに私どもも日々精進させて頂きます。再会の日を楽しみにしております」

ギャルソンが流暢な英語でそう言うと、沓子の目に涙が溢れた。彼女は目頭をそっと指先で押さえ、対岸のほうを向いた。ギャルソンはグラスに赤ワインを注ぎ終わると、小さくお辞儀をし、そこを静かに離れた。

「覚えてる、出会った頃に君が私にした質問」

豊の二つの眼球は、沓子の頬を伝って落ちる涙の雫《しずく》を追いかけていた。

「君は死ぬ間際に、愛したことを思い出す？　それとも愛されたことを思い出すって私に訊いたじゃない」

光子の詩のことだ。豊は頷いた。

「やっぱりね、前言を撤回する。私、間違いなく愛したことを思い出すわ」

豊の眼球にも新しい涙が溜まりはじめてきた。

「愛したことしか思い出さないような気がする。愛されても、愛することのほうが大事だって、今気がついた。それはあなたが、いえ、君が私に教えてくれたこと」

気の強い沓子の流す涙を豊は記憶にしっかりと留めようとした。その悲しげな美しさをいつまでも持って生きていこうと心に誓った。

チャオプラヤー川は絶えることなくゆっくりと二人のすぐ目の前を流れていた。こここにいる全ての人間が死んだ後もその偉大な流れが消えることはないだろう。川の流れはまさに時間の流れそのものでもあった。いつかこの雄大な川の流れを何十年か後に二人はなんの精神的なしこりもなく一緒に見つめることができるのだろうか、と豊はぼんやりと考えていた。

第九章

第一印象はもう記憶にない。

黄金の寝室のドアの内側に衣装ケースほどの大きさのヴィトンのトランクが五つ並べられている。それらは沓子がここバンコクで暮らした生活の全てと言ってもいい。ヴィトンの落ち着いたデザインのトランクは、まるで忠実な番犬のように彼女の出発を待っていた。

沓子は洗面室からなかなか出てこなかった。東垣内豊は彼女の準備が終わるのを静かに待ちながら、この四ヵ月間、愛を紡いだ黄金の寝室を隅々までゆっくりと見回した。

王侯貴族が使うような天蓋つきのベッドが寝室のど真ん中にあった。ダークチェリー色をした木肌《きはだ》が華やかな部屋の中で唯一シックな落ち着きを演出していた。ひらひらと羽根のようなフリルのついたゴージャスなベッドカバーが被《かぶ》せられ、前夜の最後の宴の跡を隠していた。

サマーセット・モームがかつてこの部屋を愛し、ここに長期間滞在し、この街をモチーフにした幾つかの作品の創作や構想に明け暮れていたのだ。モームが午睡《ごすい》をとったベッド。モームが座ったソファ。モームが疲れを癒したバスタブ。モームが執筆をした机。豊は今までとは違った視線で室内を眺め回し、また自分たちも他では決して紡ぐことができなかっただろう愛をここで育てたことを思い出すのだった。

ここは別世界だった。バンコクにありながらバンコクではなかった。世界中のどことも違う、二人だけの宇宙、世界から遮断された愛の箱庭であった。

天井まで届こうかという縦長の窓を押し開け、外へと視線を移した。椰子にいい具合に太陽が遮られ、芝の敷き詰められた中庭は木漏れ日が涼しい模様を拵えていた。小柄な従業員が芝の手入れをしていた。中の一人がこちらに気がつき、立ち上がって、胸の前で手を合わせて一礼するなんとも優雅なタイ式挨拶と笑みを送ってきた。このホテルの従業員たちの礼儀正しさにはいつも心が和まされた。真似て自分も胸の辺りで手を合わせてお辞儀をしてみた。自然に口許に笑みが溢れ出た。

椰子の間からチャオプラヤー川の雄大な流れが見える。深緑色の、アジアの川特有の、石灰を多く含んだ川の色は男性的でありまた宗教の香りが強かった。その先にどこまでも広がる平べったい、起伏も凹凸もないタイの大地は、まるで母親のような優しさと逞しさを含んで彼方まで延々と続いていた。

ここからのこの眺めをもう暫く見ることはないだろう、と豊は思った。サマーセットモームスイートからの絶景を或いはもう二度と見ることはないかもしれない。

バンコク発東京行きの飛行機は夕刻飛び立つことになっており、そしてその三時間後、光子と家族を乗せた飛行機が入れ替わるようにバンコクに降り立つことになっていた。

僅か三時間の差で豊は人生を百八十度転換させなければならなかった。そんな僅かな時間で心を全て入れ替えることができるのかどうか。光子と沓子を呼び間違えない自信もなかった。

沓子が洗面室から出てきた。三十分以上も化粧に時間をかけるような女ではなかった。目が赤く、隠れて泣いていたのは一目瞭然であった。沓子は泣いていたことを気づかれないよう俯きながら豊を素通りし、鞄の中から大きめのサングラスを取り出してかけた。弱いところを見せようとしない人だった。豊が知り合った女性はいつだって弱い部分を見せたがった。甘えを許されることが愛されていることだと思い込んでいる人も多かった。そういう女性に頼られるたび、豊はいつも男と女の間にある古臭い基準にうんざりした。沓子は弱い部分を決して見せようとしない人だった。そういう生き方しかできない人なのだろう。

「行きましょうか」

沓子はそう告げると、一旦室内をぐるりと見回してから、何かを踏ん切るように小さく一つ嘆息を零した後、僅かに胸を張りドアを開けて先に出ていった。その潔さがいつも彼女を孤独にしてきたのだということをまるで気がついていないかのような堂々とした退出である。豊はもう一度室内を見回した。そこにも、向こうにも、ここにも、あらゆるところに沓子の残像が霞んで見えた。それをどうにか振り切り、豊はサマーセットモームスイートを後にした。

ロビーでは多くのスタッフが彼女を待っていた。チェックアウトの手続きをしている間、豊は一人ロビーラウンジの籐のソファに腰を下ろしプールのある内庭のほうを眺めていた。沓子がチェックアウトを終え、ジェネラルマネージャーと最後の挨拶を交わしていると、彼女の五つのトランクがポーターたちによって運び出されてきた。豊は視線をそちらに移し、番犬たちが回転扉をくぐり抜ける様子を見ていた。

沓子が全てを済ませて戻ってくると豊は立ち上がり彼女に寄り添った。スタッフに見送られながら二人は回転扉をくぐり抜けた。ベンツのリムジンが三台待機していた。後ろの二台は荷物用である。ドアマンが開けたドアの中へ彼女に続いて豊は入った。

「ミセスマナカ、サヨウナラ」

ドアマンが片言の日本語でそう告げた。豊はポケットの中の小銭を取り出し、彼にそっと手渡した。サヨウナラというタイ人の発音する日本語が二人の耳の中に残って離れなくなった。車が発車してからもずっとサヨウナラという響きが耳奥を焦がし続けた。

二人はドン・ムアン空港までほとんど口をきかなかった。豊も沓子もそれぞれに窓の外を見つめていた。バンコクの見慣れた景色がいつもとは違って見える。喧騒が聞こえなかった。いつもの煩《うるさ》い賑やかなバンコクではない。木々の葉を通過した光は家々の軒先に音のない日溜まりを拵えていた。そこに人々が腰を下ろしてぼんやりと流れていく一日を観察している。二人の抱える時間とは別の時間が路上でうねっていた。

シーロム通りから空港へと向かう大きな通りへと曲がった時、杳子がぽつんと、サヨウナラ、と口にした。それはこのバンコクに向けられた言葉でありながら、同時に豊へと告げられた別れの言葉でもあった。豊は振り返った。シートに置かれた彼女の細くて白い指先に触れてしまってから、豊は自分がしたことの幾つもの罪を後悔した。杳子がサングラスを取って振り返り、子供を諫《いさ》めるような厳しい視線で睨《ね》めつけてきた。今更こんな温もりを残していかないで、と言いたげなきつい目つきである。

二人は長いこと見つめ合った。引き止めようとしたのではない。記憶に留めようとしたのであった。この尊い一瞬を、そして二度と会うことのない相手を記憶の中に閉じ込めようと。豊は思った。僕モ、愛シタコトヲ思イ出ス。

いとおしくて、いとおしくて、豊は苦しすぎた。呼吸もできないくらい感情が全身を震わせた。はじめて豊の部屋にやって来た時の杳子の姿や顔を思い出した。はじめてキスを交わした時の唇の温もりや、はじめて交わった時の彼女の皮膚の弾力や柔らかさを思い出した。杳子の瞳の中に二人の愛し合った歳月があった。愛という言葉をほとんど口にすることのない愛でもあった。はじめて、そして唯一、愛していた、と告げられた夜のことを思い出した。何もかもが今や過去形になろうとしている。

好青年を脱ぎ捨て、沓子の愛にどっぷりと浸かりたいという衝動が彼を激しく揺さぶった。喉まででかかった愛という言葉を何度も何度も飲み込まなければならない苦痛は、死ぬことよりも苦しいと彼は思う。

「きっともう会えないわね」

沓子が呟いた。返事を探そうとするが、適した言葉はやはりどこにも見つからない。

「きっともう一生会えないわね」

彼女はもう一度言った。会いたい、と思った。またいつか生きている間に会いたい、と豊は心の中で叫んだ。しかしその代わり彼にできたことは、ただ唯一、涙を流すことだけであった。止めどなく流れ出る涙。そして彼はついに好青年を脱ぎ捨てて、溢れ出る涙の中で溺れてしまう。運転手に泣いていることが聞こえてしまうのはまずい、と気持ちを必死に抑えようとするのだけれど、抑えれば抑えるほどに、逆に感情が制御できないほどに乱れてしまい、彼はついには声をだしてまるで子供のように泣いてしまうのだった。

溢れる涙で沓子が見えなくなっている。代わりに思い出の中に鮮やかに残る沓子が現れては記憶と現実の狭間《はざま》を流れていった。沓子は涙を堪えていた。ハンドバッグからハンカチを取り出し、まるで年長の姉のような優しさで豊の頬を拭った。泣かないで、と彼女は言った。

「ずるいわよ。最後にそんな顔をするなんて。私がどんなに頑張っているのか分からないの？」

　沓子の声がいっそう豊の後ろ髪を引いた。こんなに好きな人と別れなければならない自分の人生を呪った。こんなに悲しい別れをしなければならない自分のいい加減な性格を憎んだ。しかし好青年は決してそのことを言葉にはしなかった。

　車がドン・ムアン空港に到着してからは、いっそう時間は冷酷に働いた。世界がさらに色を失って、深い穴蔵の中へと埋没していくような感覚、或いは灰色の気配が周囲を包み込んでいく錯覚に陥った。

　沓子は出発ゲートに入る前に、最後の、そして唯一のお願いをしてもいいかしら、と言った。豊は小さく頷いた。

「口づけをして」

出国する大勢の観光客の真ん中で二人は抱き合い長いキスを交わした。豊は自分が壊れてしまうのではないかと思うほどの悲しみの中にいた。沓子がついに堪えきれず泣いているのが分かった。その美しい涙を記憶しようと豊は瞬きを堪えた。

豊は強く抱きしめ、沓子も強く抱きしめ返した。それがどれくらいの長さの出来事だったのかは分からない。どんなにキスをしてもしたりないほどの短さに感じられた。

沓子は豊から離れると、もう二度と後ろを振り返らず、胸を少しだけ張って、そのまま出国ゲートを潜《くぐ》っていった。

豊は何が起こったのか分からず、しばらく彼女の消えた辺りを見つめてはぼんやりとしていた。沓子と会えなくなる、と思い出し不意に心の中にぽかりと穴があいたような感じがした。それから急にどうしようもないくらい胸の辺りが苦しくなり、呼吸ができなくなった。しかし追いかけることも縋ることもできなかった。もうすぐ光子たち一行が幸福を夢見てやって来るのだ。

「沓子」

思わず声が出た。ゲートの先へ向かって豊は腹の底から大きな声を張り上げた。

「沓子！」

しかし彼女は戻ってはこない。分かっていることだったが、彼女は引き返してはこなかった。豊は目が眩《くら》み、倒れそうになりながらもなんとか自分を保ち、ゆっくりとその場にしゃがみこんだ。

長いこと豊は出発ゲート前から動けなかった。空港の警備員に、大丈夫か、気分が悪いのか、と背中をさすられた。英語で、大丈夫だ、と答え立ち上がろうとしたが、下半身に力が入らずよろけた。

時間をかけて到着ロビーまで歩き、空洞の心を抱えて光子たちの到着を待った。沓子が姿を消してから三時間ほどが経ち、ゲートから光子が元気良く現れた時、東垣内豊は虚ろな人間になってしまっていた。

花柄の可愛らしいワンピースを着て現れた光子は、豊を見つけるなり駆け出し、寂しさをぶつけるように彼の胸に飛び込んできた。会いたかった、と小さく節度ある声で告げた。

まもなく光子の両親とともに豊の両親も姿を見せた。親族や光子の友人の姿もあった。好青年を奮い立たせなければならなかった。沓子の犠牲を無にはできない。光子の忍耐も無にはできなかった。彼はここで本当の好青年にならなければならなかった。

心を切り換え、一行を従えてバンコク市内へと引率《いんそつ》しなければならなかった。

その夜、夕食が済んだ後、アマリンホテルのスイートルームで豊は光子と二人きりになった。光子の視線から豊は逃げだしたかった。どうしても沓子のことを思い出してしまう。今どこにいて何をしているのか、と考えてしまうのだった。

「豊さん」

光子が言った。豊は覚悟をしなければならなかった。抱きしめ口づけをした。豊の頭の中には昨夜までの黄金の寝室での沓子との逢瀬が蘇っては艶めかしく迫ってきていた。

光子は豊の肉体にしがみついた。彼女が待っているものを豊も理解できたが、気持ちがどうしても動かなかった。

「豊さんの気持ちが分かるわ」

光子が微笑みを浮かべながら告げる。そうかい、と豊は彼女の顔を覗き込む。

「あなたはいつも弁えていて、冷静で、大人で、そして思慮深い。いつも紳士的で信用ができる。強引ではなく、とてもエレガントで、とにかく優しいの」

そうかな、それは大きな誤解だと思うけど、でも嬉しいよ、ありがとう、と豊はその場をはぐらかし逃げるしかなかった。

「ええ、そうよ。愛している、という言葉をとても大切に扱ってくれたことに私はとても感謝しているし、そういうあなたを尊敬しているのよ」

豊は返事ができなかった。まっすぐに豊を見つめる光子の気持ちが伝わってきた。彼女は会えなかったこの期間、豊だけを信じて生きてきたのだった。自分の都合だけで一喜一憂していたのとは訳が違う。彼女もまた苦しい日々を泳いできた。

「これからずっと二人で生きていく。これから私はあなただけを見つめて生きていく」

光子は豊に口づけをせがんだ。沓子の小柄だがセクシーな弾力のある肉体とは違い、光子は痩せていて身長も高かった。派手さはなかったが、とても上品な佇まいを持っていた。何事にも弁えた育ちの良さがあった。豊の親も親戚も彼女を一目見た瞬間に、嫁として申し分のない、と認めたほどである。

「どうしたの」

光子は黙っている豊の顔色を覗き込んで訊ねた。

「別に」

「それならいいんですけど、なんだかとても元気がないから。どこか具合でも悪いのですか」

豊はもう一度、今度は先程よりはやや強引に光子に口づけをした。

「何かあったの？」

唇を離し、光子が不意に怪訝《けげん》な顔つきになって言った。

「何もないよ。何もあるわけはない」

「そうかしら。……私のいないうちにこちらで、何かやんごとないことがあったのじゃないかと思った」

「まさか」

「でもあってもおかしくはないわ。傍にいられなかった私が悪いんだから、もしもあなたに何かがあってもあなたを責めることができない。あなたを強く引きつけていられなかった自分のせい」

「……」

「馬鹿なことを言わないでくれ。ぼくはずっと毎日君のことだけを考えて、今日を光子は黙ってしまった豊をじっと見つめた。

「今日を？」

豊は、ああ、と諾《うべな》った。

「今日の、クリスマスイブをずっと心待ちにしていたんだ」

光子の顔に笑みが戻った。

「ああ、ありがとう。愛しているわ」

豊は一拍遅れて、ぼくもだ、と呟いた。光子が抱きつき、豊はその細い体を抱きしめる。後戻りはできない、と豊は自分に言い聞かせた。ここまできて弱気になってはいけない。ぼくは光子だけを愛して生きていかなければならない。

「愛しているよ」

豊は自分を鼓舞させるために告げた。

「愛しているわ。愛している。毎晩、毎晩、私はあなたのことだけを考えて一日を過ごしてきた。これからの未来のことだけを夢見て生きてきたの」

豊は光子をベッドの上に優しく寝かせ、項《うなじ》に口づけをした。沓子への未練を押しやるために、今夜光子と交わるしかなかった。光子を引き寄せた。待って、と光子が拒む。

「待って。待って下さい。ちょっとまだ準備ができていないの」

光子は豊の腕からするりと逃げだすと、浴室のほうへと駆け出し、恥ずかしそうに微笑みを浮かべてドアの陰に隠れ、

「待ってて。すぐに準備をしますから」

と言うなり、浴室の中に消え、鍵を掛けてしまった。

豊はため息をついた。幸福でなければならないのに、豊は幸福を実感することができなかった。瞼を閉じるとまだそこに生々しく横たわる沓子の存在があった。沓子の感触が肉体の隅々に染みついていた。沓子の声が耳に焼きついて離れようとしない。

豊は立ち上がり、一度時計を見てから窓辺まで歩き、カーテンを引き開け、夜のバンコクを見下ろした。サマーセットモームスイートからの眺めとはまるで違っていた。密集するバンコクの家々の灯が地平の果てまで広がっている。まだザ・オリエンタル、バンコクに彼女がいるような気がしてならなかった。

「沓子」

思わず、言葉が零れた。光子に聞かれたのじゃないかと驚き口許を手で塞いだ。沓

子、沓子、沓子。僕モ、愛シタコトヲ思イ出ス。

豊は夜空を見上げた。窓ガラスに手を当て、そこに頬を押しつけながら考えた。突然現れ、人生をひっかき回して去っていった女。しかしきっと一生忘れることのできない人。後悔という言葉を発明した人間を彼は呪った。後悔のない人生なんてないんだ、と豊は自分に言い聞かせようとした。

浴室のドアが開いた。豊は窓ガラスに映る光子を見つめた。光子は豊のほうへ向かってゆっくり忍び寄ってきていた。サヨウナラ、と豊は心の中で沓子にもう一度別れを告げた。

第二部　サヨナライツカ

第一章

光子《みつこ》が次男剛《つよし》の大学受験についてさっきからずっと何か言っているのを東垣内豊《ひがしがいとうゆたか》は朝食を食べながらぼんやりと聞いていた。光子はトランクの中に式典で豊が着る夏物の燕尾《えんび》服を仕舞い込んでいる最中であった。丸まった光子の後ろ姿に豊の視線が止まる。そこに東京の一月の光が静かにあたっては、まるでモヘアのセーターを纏《まと》っているように彼女の輪郭を柔らかく浮き上がらせた。

「外国語は得意だけれど、日本語はさっぱりでしょ。これで志望校に落ちるようなことがあったら、責任は私たちにあるんでしょうね」

どうして、と豊は呟いた。

「責任というのは大げさだけどね、でも海外を連れ回したのは事実だし」

「そうだな」

豊はそう思って返事をしたわけではなかった。光子は何事に対しても気を揉み過ぎる傾向があった。特に息子たちのことについては尚更。

次男の受験は再来年だった。今からそんなに心配することはない、と言いかけて豊は口を噤《つぐ》んだ。へたに彼女の感情を逆撫でしないほうがいい。仕事ばかりで、子供たちのことは全て任せきりだったことを煩《うるさ》く言われかねなかった。

飲みかけていたコーヒーを少し零《こぼ》してしまった。豊はいつになく落ち着かなかった。気持ちが昂《たかぶ》って仕方ない。昨夜も寝つけなかった。眠ろうとすると記憶が揺さぶられるのだ。南国の太陽や、あの情熱的な瞳の輝きを思い出してしまう。もうずっと封印していたもので、すっかり忘れていると思っていた記憶たちであった。それがまるで焼いたばかりの写真のようにくっきりと鮮明に頭の中に像を結んで立ち上がってくるのだった。

朝目覚めてからもそのことばかりが頭の中をぐるぐると目まぐるしく回っていた。

「さてと、忘れ物はないかしら」

光子は立ち上がり室内を見回した。彼女は完璧という言葉がまさにぴったりの良くできた妻である。豊は身の回りのことを殆《ほとん》ど何もしなかった。家のことにはじまり、子供たちの教育に関しても、豊の生活に関するあらゆることは全て光子が一人で受け持った。結婚の時に彼女が誓った良き妻になるという言葉は実行されたのだ。光子はまさに古いタイプの日本人にとっては理想の良妻賢母であった。豊は決してそれを強制したわけではなかった。光子にはもともとそういう資質があった。絵に描いたように立派な母親であり、完成された妻であった。

ヨーロッパで暮らしていた時に、時々厭味《いやみ》なことを言われた。光子のような日本女性と結婚をするとハウスキーパーを雇わなくて済むわね、と。しかしその厭味に対してでさえ、光子は怒らず、最後にはフェミニズムが勝利した国々の女性たちにさえ、素晴らしい母親だと迎え入れられるようになっていく。日本的な美徳としてではなく、一人の人間として、母親として、妻として、素晴らしい人だと言われるようになっていった。

頑張り屋で、人情が深く、なにより優しい彼女はどこの国でも次第に人気者になっていった。資格を持つ茶道と華道を外国で教えることで、光子は多くのファンを持つようにもなった。外国の人たちに愛される姿は豊にとっても息子たちにとってもいつも誇りであった。

　だからこそ豊は浮気だけはすまいと心に誓って生きてきた。つまらない浮気で彼女を悲しませたくはなかった。親になってからは、好青年という看板はすっかり返上していたのだった。もう誰も彼のことを好青年と呼ぶ者はいなかった。

「よし、できた」

　光子はトランクを閉じた。豊は光子のところまで行き、トランクを立たせるのを手伝った。

「バンコク、私も行きたかった。健《たけし》の演奏会がなければ行ったのに」

「健はどこでやるの」

「渋谷のクラブですって」

「最近の音楽の良さはまったく理解できない。どこがいいのかさっぱりだ」

「でも楽しそうだから」

「プロになりたいなんて言いださなければいいんだけれど」

「それは無理。もうその気だから」

　豊は、あいつ就職はどうする気だろう、と呟いた。

「レコード会社からの誘いがあるって言ってた。それが駄目だったら考えるでしょ」

「そんなんでまともな一生が送れるわけがない」

「どうして、そんなの分からないわよ。やらせてあげたいの。あの子の可能性を摘みたくないの」

教育熱心な光子らしくない意見だった。豊はじっと彼女の瞳の中を覗き込んだ。健も剛も素直でいい子たちであった。親として導いてあげたいという気持ちのほうが先にでた。しかし光子は導くのではなく、彼らを信じてあげたい、と言うのである。

「信じるか」

「そう。あなたの息子を信じなさい、というコマーシャルがあったわね。あれよ」

古いわね、と光子が笑った。豊もつられて微笑んだ。

「バンコクか、二十五年ぶりね。タイ国日本人会の人たちは皆さんお元気かしら。ほら、お世話になった滝沢《たきざわ》ナエさん、どうしているかしらね。私は娘のように大切にされたわ。ドイツにいた頃までは年賀状が届いていたけど、あれからぱったり。もうかなりのご高齢だろうから心配だわ。時間があったら、訪ねて様子を見てきてね」

豊の脳裏に懐かしい町並みや、人々の顔が過《よぎ》っていった。そしてあの人の顔も。

「随分とあの街も変わったでしょうね。私たちの青春の地だものね。できることならあなたのトランクに紛《まぎ》れ込んで、くっついて行きたいわ」

豊は、ああ、と生返事を戻してから着替えはじめた。脱ぎ捨てる服を光子がかき集める。タンスからクリーニング済みのスーツを持って来て、豊に手渡した。豊は高鳴る心を隠しながら、それを羽織る。カーテンを激しく閉めた若き日の沓子《とうこ》の顔が脳裏に膨らみ、思わず手が止まる。

「どうかしたの」

光子に顔を覗き込まれ、かつての好青年は、なんでもない、と微笑みを返した。迎えの車に乗り込み、光子に見送られて、豊は成田へと向かった。車中、彼はずっと過去を振り返っていた。決して振り返るまいと決めていた過去だったが、忘れられるはずはなかった。死ぬ瞬間まできっと忘れられないんだ、と豊は、思わず笑みが鼻先を掠《かす》めた。

愛シタコトヲ思イ出ス。

二十五年の歳月が彼を少し安心させていた。二十五年も経っているんだ、と彼は苦笑した。思い出すだけなら光子も許してくれるだろう、と自分に言い聞かせた。

イースタンエアーラインズのタイ就航四十周年を記念する式典はザ・オリエンタル、バンコクで行われることになっていた。その思い出をこっそりと嗅ぐことが罪だとはもう言えないくらい長い時間が経っていた。全ては時効を迎えているのだから。光子には、すまない、と思うが、気持ちはバンコクへとすでに飛び立っていた。瞼《まぶた》を閉じると、そこに若く天真爛漫で輝かしい沓子が立っていた。

深呼吸をすると熱帯特有の甘い空気が彼の肺を満たした。東垣内豊は二十五年ぶりにバンコクの土地を踏んだ。静かに蘇る記憶が、五十五歳になった豊の胸の内を甘く、そして時折切なく焦がしていく。

空港ではバンコク支店の若いスタッフが待ち受けていた。まるでかつての自分を見るような若さと笑顔がその青年の全身から迸《ほとばし》っている。若い駐在員の新居《にいい》は機敏に動き、待たせてあるリムジンまで豊と彼の秘書笠井《かさい》を案内した。

「専務、二十五年ぶりのバンコクはいかがですか」

好青年の新居は素早くドアを開けながらそう告げた。一月とはいえ熱帯の風はむんと突き上げるような暑さと湿りけを含んでおり重たかった。東垣内豊はリムジンに乗り込む前に、二十五年の歳月によって変貌を遂げたドン・ムアン空港の外観を振り返った。

「さあ、まだよく分からないが、空港は随分と綺麗に、そして大きくなったような気がする」

豊はこの四半世紀、一度としてバンコクでの思い出を忘れたことがなかった。しかし無意識のうちにアジア、特にバンコクには近づかないよう、気をつけていた。光子との結婚後、豊はまもなくヨーロッパの支店に着任することとなる。フランスで長男健が生まれ、その五年後ドイツで次男剛が生まれた。

その後もヨーロッパのエキスパートとしての存在が買われ、欧州が統一された後の広報活動の責任者として名を上げ、ヨーロッパの支店を転々とした。創業者の未亡人のバックアップもあり、豊は順風満帆に出世の道を上り詰めてもいた。それは彼が若かりし日に描いた人生設計図をはみ出すことのない見事なまでの勝利の道であった。

五十三歳で常務取締役になり、今年専務取締役に昇格した。次期社長との声も高く、もしもそうなるとすれば、広報部出身者としてはイースタンエアーラインズ創業以来はじめてのこととなる。

豊を乗せたリムジンはドン・ムアン空港を後にし、一路バンコクの市内を目指した。二十五年前にはなかったハイウェイをリムジンは高速で飛ばした。バンコク市内に入るまでの景色は時の経過を感じさせなかった。地平線の彼方まで続く畑は青々と美しく、まるでタイムスリップでもしてしまったかと思わせるほど当時のままであった。

豊には隣の席に座るあの女性が見えていた。真中《まなか》沓子も当時のままであった。彼女の大きくて黒い瞳が目の前にあった。当時の光を受けて眼球は内側から強く発光している。

――きっともう一生会えないわね。

彼女の言葉が聞こえ、豊は思わず涙を流しそうになった。その揺れる感情を落ち着かせるために、彼は目を閉じ光を遮《さえぎ》らなければならなかった。

記憶はしかし次々に過去を蘇らせていった。どうせ、ただの記憶に過ぎない、と彼は自分に言い聞かせてみる。走馬灯のように、という決まり台詞そのままに、昔日《せきじつ》の思い出は次々鮮やかに息を吹き返していった。

抱き合った時の彼女の皮膚の滑らかさと肉の弾力。唇の甘く柔らかい感触。温もり。

口調。仕種。そして吐息までも……。

リムジンは随分と走った後、バンコク市内へと入った。東京の首都高よりも立派なハイウェイは大都市バンコクの上を大きく旋回していた。副都心を思わせる高層ビルが、天空に輪を描くハイウェイの周囲に、生えていた。

摩天楼が立ち並ぶ新しい姿のバンコクに豊は少し安堵した。何もかもが当時のままであれば、彼はこの思い出の街の中で溺れてしまいかねなかった。時代は変わったのだ。そして自分の青春はあの時にすでに終わっていた。そう言い聞かせるには十分なバンコクの変貌であった。記憶のバンコクがなくなっていることに安堵しつつも、しかし一方で寂しさも覚えた。思い出までもが開発によって、消されてしまったような気持ちになって。

「専務、懐かしいですか」

新居が振り返って言った。部下に湿った顔を見られたくはなかったので、豊は崩していた姿勢を慌てて元に戻した。

「二十五年という歳月は凄いね。あの平坦な街がこれほど垂直に、上へ上へと伸びる大都市に変貌するなんて驚きだよ」

新居は得意気に微笑んだ。

「ええ、特にここ数年は凄まじいくらいの変化です。どんどん新しいビルが建って、巨大なデパートも増えました。もう殆ど東京と変わりません。この街で手に入らないものは何もないんです」

豊は小さく頷いたが、それ以上の言葉は出てこなかった。車がハイウェイを下り、下の道に出ると、豊は再び窓の外へと釘付けになった。ホンテウと呼ばれる低層の建物が当時のまま残っていたのだった。下界はまだ殆どが当時のままである。

「ここらへんはあまり変わってないな」

言うと、新居が、ええ、一般庶民の生活にはあまり大きな変化はありません、と答えた。

「生活の格差はまだまだ大きいと言えるでしょう」

「車が増えたな。昔はあの小型のオート三輪車、ええと、なんと言ったかな」

「トゥクトゥクです」

「そうだ、トゥクトゥクだよ。あとはバイクか自転車しか走っていなかった。夕方にでもなろうものなら道を埋めつくすほど、どこからともなくトゥクトゥクが現れ道を塞いだものだ」

新居は笑った。豪快な性格の、近頃の若者には珍しく明るい青年であった。

「そうですか。今でもかなり走っているほうだと思ってましたが、当時はそんなに」

「凄かった」

豊は沓子とトゥクトゥクの中でキスをした日のことを思い出していた。日溜まりの中を進むトゥクトゥクの上で抱き合う、当時の幸福そうな二人の甘い様子が見えた気がした。刺すような日差しが地面の水たまりに反射してそこをきらきらと輝かせている。

リムジンが、記憶に鮮明に残るパッポン通りに入ると、豊はもうまるで子供のように身を乗り出していた。そこを歩く過去の自分と沓子を見た。彼女の派手な服装までもが思い出された。イースタンエアーラインズの専務取締役にまで出世した今の豊とは違う、まだ好青年でいられた頃の自分がそこにはいた。二人は腕を組んで、まるで青春映画のスターのように闊歩《かっぽ》していた。

沓子……。

思わず、言葉が口腔《こうこう》から零れ出る。それを新居や秘書の笠井に聞かれたのではないか、と慌てて体を元の場所へと戻した。懐かしさに感情が揺さぶられた。自分の中にまだ過去への熱情が残っていたことを悟って、驚き、重ねて目頭が熱くなった。感情は豊を青年のような気持ちにさせた。会社のために生きてきたがむしゃらな四半世紀がいっぺんにどこかへと雲散《うんさん》していった。

——きっともう一生会えないわね。

彼女が車の中で呟いた言葉が再び豊の耳奥に蘇ってきた。そうだ。あれは全てが過去の出来事なのだ。一生持ち続けることになるが、しかしもう二度と取り戻せない過去なのである。いや、だからこそ大切な思い出なのだ、と豊は思いとともにため息を漏らした。

鼻を啜《すす》った。それからイースタンエアーラインズの専務としての威厳を取り戻すために口をぐいと真一文字に噤み直した。しかしその緊張もまもなく途切れた。一瞬でも好青年に戻ってしまった自分がおかしく、口許は再び緩《ゆる》んでしまうのだった。

素晴らしい思い出なのだ。素晴らしい思い出。それでいいじゃないか。もう戻ることのできない遠い日のただの思い出なのだ。恐れることは何もない。

時々、豊は自分が生き続けていることを不思議に思った。どうしてこんなに必死で生きなければならないのだろう、と思うことがあった。人生に振り回されて生きてきたことを時々後悔した。成功した今も、成功したとはどうしても思えなかった。順風満帆の人生で、何一つ不満なことはなかったのに、いつも心のどこかに小さな穴があいているような気がしてならなかった。その穴は年をとるごとに大きくなっていった。その穴の原因は失われた、消し去ろうとしてきた、あの尊い青春の一時期の記憶の残《ざん》滓《し》によるものだ。それが今分かった。

素晴らしい、と自分に言い聞かせながら、やっと過去と和解できたことを豊は知った。今まで豊は自分の大切な子供を認知しないで生きてきたのだった。しかし今やっとその子を認知できた。あの日々を認めてやりたかった。

沓子ともう会うことはないかもしれないが、だからこそ今から、光子には内緒で、記憶の中の沓子を大切にしたい、と思った。そう思うと楽になることができた。それは過去の自分も許せるということであった。許してあげようと思った。ここに来てよかった、と豊は思わず口にしてしまった。

車がホテルへと続く細い路地へと入り、そこに当時のままのザ・オリエンタル、バンコクの姿が現れると、豊は息を飲み込んだ。これほど変化したバンコクの中にあって、ここだけはまったく一九七五年当時のままである。

東垣内豊は、まるで自分が会社帰りに沓子に会いに来たような錯覚に陥った。リムジンを降りると、バンコクの熱い空気とベルボーイに迎えられた。新居が、こちらです、と回転ドアのほうを示した。ぼんやりと立ち止まって辺りを見回していると、秘書の笠井が、大丈夫ですか、長旅でご気分でも悪うされましたか、と心配して近寄ってきた。

「いいや、そうじゃない。懐かしいだけだよ」

なんとか微笑み返して歩きだしたが、自分がどこへ向かっているのかを理解できずにいた。回転ドアを潜《くぐ》りながら、思い出も一緒に回りだした。

ここをかつて何度も出入りした。真中沓子と一緒に。

ロビーの天井にぶら下がるばかでかいシャンデリアも当時のままであった。小柄なドアマンたちが胸の辺りに手を合わせる、タイ式のお辞儀もそのままであった。ロビーを流れる爽やかな風も当時のまま。豊の視線が止まった。記憶の淵に光が差した。それから不意に甘い香りの記憶が鼻孔の奥をついた。何が起こったのかまったく理解できなかった。ただ耳が熱くなり、次の瞬間不意にロビーの騒音が遠ざかっていった。

天窓から零れる光に目が眩《くら》んだのか。ロビーを流れていく風に魂を淩《さら》われたのか。ロビーの片隅で演奏をするクラシックの演奏家たちの謙虚な音楽が鼓膜を誑《たぶら》かしたのか。豊の体内深く、血がもう一つ別の生き物のようになって動きだしていた。豊は目を見開いた。何が起きているのか、自分の頭の中が激しく混乱していることをどう認識していいのか分からず、動けなくなってしまった。目だけが、何かを捉え、それが脳の記憶中枢へと激しく刺激を与え続けていた。見覚えがあるのに、それが何か分からない。激しく懐かしいのに、暫くの間、見ているものと記憶の中の形が一致せず、混乱した。

二つの眼球はフロントの方角から歩いてくる一人の女性を見ていた。女性が十メートルほど手前まで近づいた時、まさか、とついに声が飛び出してしまった。笑顔でやって来る制服姿の女性に確かな見覚えがあった。見覚えは次第にある一つの人物像へと結ばれていった。新居が、真中さん、と声をかけた。女性はまっすぐに豊を見ていた。あの目だ。間違いない。それは、見間違いではなかった。

「こちらが、オリエンタルホテルのジャパニーズアカウント担当の真中沓子さんです。こちらが専務の東垣内です」

杳子は笑顔で、ようこそ、とお辞儀をした。豊に負けないだけ年を重ねてはいたが、見間違えるはずはなかった。その女性はまさしく二十五年前に別れた思い出の人、杳子であった。

第二章

「お部屋にご案内させて頂きます」

東垣内豊は突然なんの前触れもなく目の前に現れた真中沓子を現実感の伴わない視線で見つめていた。四半世紀前の甘く切なく、しかも苦い記憶を振り返ろうとするが、予期せぬいきなりの出現に、しばらくの間は状況を判断することも、目の前で起こっていることを認識することさえできず、ただ呆然と懐かしの人を見つめることしかできなかった。

「東垣内さま」

もう一度声がした。豊はまるで夢を見ている最中に叩き起こされたような顔で、その声の主をたどった。光が再び、彼の記憶を揺さぶった。風が懐かしい匂いをどこからともなく運んできた。そしてそこにはまだ三十代の二人がいた。二人は垂直に差し込む南国の光を受けて思い出の中を幸福そうに闊歩している。抱き合う二人。語らう二人。見つめ合う二人。微笑み合う二人。言い合う二人。どれも懐かしいというだけでは言い表せない切なく尊い記憶たちであった。

「専務」

今度は秘書の笠井が言った。

「大丈夫ですか」

ああ、と頷いたが言葉は続かなかった。新居が、長旅の疲れでしょう、まだ打ち合わせまで時間があるので部屋でお休み下さい、と告げる。あるいはスケジュールを変更することも可能ですが、と笠井が心配した顔で付け足した。しかし豊の視線はまっすぐに沓子を捉えたまま離れなかった。一呼吸あけて、笠井が今後の行程について説明をはじめたが、事務的な言葉たちは意味を豊の頭の中に象《かたど》ることはなかった。

「じゃあ、夕方にお迎えに戻ります」

新居が笑顔でそう告げると、真中沓子が一歩豊ににじり寄り、笑顔を湛《たた》えて、

「笠井さんのお部屋はリバーウイングのほうなので、私のアシスタントのチェンロイ

がご案内致します」

と言った。

懐かしい声であった。年を重ねた分、声の輪郭も幾分掠れてはいるが、まだまだはりがある。確かに目の前にいる女性は沓子であった。年月に浸食され相応に老けてはいたが、眼球の奥から放たれる力強い視線は昔のまま、華やかな美しさも、そして少し胸を張るようにして凛《りん》と立つ姿もあの時のままであった。

「専務のお部屋はゆったりとお休み頂ける当ホテル自慢のオーサーズ・レジデンスのほうにご用意させて頂きました。私がご案内致します」

真中沓子がさらに一歩豊の前に進んだ。なぜ君がここにいるのか、と心の中で叫んでいたが、それらは喉より上に上がってくることはなかった。

豊は想像の中で二十五年前の沓子を抱き寄せていた。記憶の中にいまだにこびりついている感触や香りが彼をますます動けなくさせた。呼吸さえもできなくなるほど、生々しい記憶。それらは不思議なことに、時間という容赦のない力にさえ、まったくといってもいいほどに少しも浸食されてはいなかった。

「東垣内専務」

もう一度笠井の声が豊を現実へと呼び寄せた。新居と笠井が心配そうに豊を見つめていた。豊は無理矢理笑顔を拵《こしら》えて、彼らの心配を取り払わなければならなかった。

「すまない。ちょっと疲れたようだ。部屋で休むよ」

そう言い残し、待っている沓子を振り返る。二十五年前の光に改めて目眩《めまい》を覚えた。まさに既視感《デジャビュ》の中を歩いているような奇妙な気分である。二十五年の歳月が経っているというのに、ザ・オリエンタル、バンコクは記憶通りの佇まいを残している。壁を塗り直したり、床を張り替えたり、多少改築されているのだろうが、印象は当時のままである。豊はまるで時間を飛び越えて二十五年前へと迷い込んだような錯覚を覚えてならなかった。

すぐ前を沓子が歩いている。あの日々、二人はここで暮らしていたのだった。こうして毎晩飲み歩いた後にこの廊下を歩いた。どうして彼女がここにいるのか理解できなかったが、そのことについて質問ができるほど豊は冷静ではなかった。不意に訪れた現実を受け止めるのが精一杯、二十五年分の年を重ねた彼女の後を昔のようについてゆくのが精一杯であった。

オーサーズラウンジの真っ白な階段を上り、ホテル内でももっとも古い歴史と一際静かな佇まいを持つオーサーズ・レジデンスの清楚な廊下へと出た。沓子は決して振り返らず、凜と背筋を伸ばし前を歩く。自分を信じている、力強い当時のままの歩き方である。その後ろ姿に釘付けになった。

彼女が向かっているのがどこか分かっていた。二人が残酷なほどに愛し合ったあの部屋なのだ。

沓子はサマーセットモームスイートの前で立ち止まった。振り返った彼女が微笑みではなく、瞳に沢山の涙を溜《た》めていたことが豊の感情を激しく揺さぶり、彼を現実に目覚めさせた。彼女は豊の前をずっと泣きながら歩いていたのである。

二十五年の歳月はあまりにも長く、そして無情であった。彼女も豊も随分と長く生きてしまった、年老いたこの姿をお互い見られたくはないと恥じらう気持ちもあったが、会えた、という思いのほうが勝り、二人はお互いの顔の皺《しわ》を視線でなぞった。

沓子の目は緩やかに弧を描き、そこに輝く涙が溜まっていた。涙は後から後から溢れ出てきて、彼女の頬を伝って流れ落ちた。

「すみません。醜態をお見せしてしまって」

慌てて涙を拭うと、沓子は鍵を取り出しドアを開け、どうぞ、と勧めた。

訊きたいことだらけだったが、どうしていいのか分からず、豊は苛立ちにも似た驚きに背中を押されるままサマーセットモームスイートに足を踏み入れた。途端自分の目にも涙が溢れてくるのを覚えた。室内に留まっている空気が当時のままの匂いや、質感や、優しさや、気品を持っていたからであった。一歩一歩足を踏み出すたびに心は時間を遡《さかのぼ》っていった。物凄い勢いで記憶の残像が眼球の裏側へと無数の情報を流しだしていた。豊は目眩に襲われ、部屋の中央に立ち尽くしてしまった。思い出をたどるように杳子を振り返る。その涙の輝きを見つけて、杳子もまた立ち止まった。

その距離は僅《わず》かに五メートルほどである。お互いの顔がはっきりと分かる近さでもあり、また今日までの時間を警戒しての遠さでもあった。

「驚いたよ」

豊はやっと言葉を紡《つむ》ぐことができた。しかしそれとて、なんとか捻出した繋《つな》ぎの言葉に過ぎず、言いたいことや訊ねたいことの本質からはほど遠かった。

「驚かせるつもりはありませんでした。東垣内さまがバンコクへいらっしゃるのは前もって知っていたのですが、けれどこちらから連絡を入れるわけにもいかず、到着を心待ちにしていたのです」

二十五年という歳月こそもっとも罪深い。取り戻せない時間や後悔がまるで業《ごう》のように、彼女の顔の表面に小さな皺となって刻まれていることを知り、彼女の現在の社会的な立場がそうさせるのか、その口調や態度の変化に豊は胸が痛んだ。

「敬語なんて使わないでくれ」

豊はまずそう伝えた。沓子の瞳がまっすぐに豊の瞳を捉える。二人は長い時間見つめ合った。それでも長かった不在を埋め合うには短すぎる時間である。お互い必死で生きてきた人生がそれぞれの背後に隠れている。豊にとってもいろいろとあった二十五年である。当然沓子にも同じか、あるいはもっと多くの出来事があったはずだ。しかも彼女はかつて自分が住んでいたホテルで働いている。自分と別れてから彼女が歩いた道のりを想像してみるが、二十五年はあまりに長く大きく、簡単に想像することはできなかった。

「仕事だから。堅苦しい口調を許して下さい」

「分かってる。二十五年も時間が経ったんだ」

「あなたの素晴らしい人生を傷つけるわけにはいかないでしょ」

「ちっとも素晴らしくなんかない」

「そんなことない。立派です」

そこで二人はまた沈黙をした。話したいことの核心になかなか近づけない。沓子の瞳に再び涙が溜まりだした。それを見て豊の涙腺も緩む。向かい合ったまま二人は涙を流し続けた。

「会いたかったわ」

やっと沓子が心を開いて本心を吐き出した。裸の言葉が豊の胸に突き刺さる。それは豊もずっと思っていた気持ち。思い出さないように振り返らないように、ずっと隠してきた気持ちだったが、この二十五年間、豊は彼女とのことを忘れたことは一度となかった。

「会いたかった」

自分の口をついて出た言葉に驚いた。まるであの時代の自分の声そのもの。肉体そのもの。精神そのものである。余りにも生々しく青々としているので、自分の声にたじろいだ。イースタンエアーラインズを率いて生きてきたリーダーとしての声ではなく、好青年として甘えていた三十代の自分の声だった。

「会いたかった」

もう一度言葉にしてみた。沓子は小さく頷《うなず》いた。彼女の頬を涙の雫《しずく》が滑り下りていく。

「会いたかったわ」

堪《たま》らず、豊は進み出て、沓子を抱きしめる。自分の取っている行動に驚く間もなかった。手を下ろしたまま呆然としていた沓子も、数秒遅れて豊の背中に、しかし謙虚に手を回した。涙がとめどなく流れ出る。思い出を押し殺して生きてきたせいで、感情が二十五年分の雨を黄金の寝室に降らせた。

「会いたかった」

「会いたかったわ」

その言葉だけを二人は繰り返した。

沓子を抱きしめながら、豊の脳裏にはこのサマーセットモームスイートでの蜜月《みつげつ》をはじめ、二十五年前の記憶たちがまさに走馬灯のように一気に蘇った。細かった沓子の肉体はやや丸みを帯びていた。しかし太ったというのではない。時間が彼女を女として円《まろ》やかに、違った角度で魅力的な女性に磨き上げている。二十五年を彼女らしく生きてきたことがその輪郭に如実に描かれているのだった。

「まるで昔のようだ」

豊が言うと、

「思い出すと苦しい。胸が張り裂けそうなくらい。もう会えないとずっと諦めていましたから、こうして抱きしめられているだけで窒息してしまいそうです」

と沓子が告げた。

「会えないと思っていたよ」

「会いたかった。会ってどうしたいというのではない。でもいつも一人になるとあなたのことを考えていました」

豊はもう一度沓子を強く抱きしめた。この二十五年の間、妻以外の女性と恋に落ちたことはなかった。彼には野心があったし、踏み外してはならない人生の階段が天までまっすぐに聳《そび》えていたからだ。沓子と別れて後、光子と夫婦になってから、豊は決して肉体も心も浮気をすることはなかった。二度と苦しい恋はやめようと誓い、実践してきたのである。それは光子に誓ってそうしたのではなかった。寂しく捨てた沓子に対しての、せめてもの償《つぐな》いでもあった。

しかし、今更、こんなに簡単に自分をさらけ出すことができるとは思わなかったせいで、豊は混乱した。二十五年間、二度と好青年にはなるまい、と決めて生きてきた彼の人生の方針が、今あっという間の化学変化によって消失しようとしているのだった。

ドアをノックする音がしたので、二人は慌てて離れた。沓子が、涙を急いで拭い、返事をした。ベルボーイが荷物を持って来たのだった。豊は隣室へと移った。そこは二人が激しく抱き合った黄金の寝室であった。

家具や調度品はやはり二十五年前のままであった。壁紙は張り替えられているのだろうが、濃いピンク色は当時のままで、目に鮮やかである。部屋の中央にどんと置かれた歴史的なベッドも、当時のままの仰々《ぎょうぎょう》しい天蓋《てんがい》がついており、フリルのついた華やかなレースのカーテンが生々しさを隠すように下ろされていた。

豊はしばらく呆然と室内の光景を眺めていた。この現実をどう解釈していいのか分からず息を飲んだ。隣にいる沓子が何を考えているのか彼には手に取るように分かった。

ベルボーイが荷物を置いて部屋を出ていく。ドアが閉まる音がした。

「懐かしいな」

「ええ、この部屋にお客さんを案内するたびにいつもあなたのことを思い出していた。あなたの腕や肩や胸、それに笑顔を」

豊は振り返った。少しは冷静に見つめることができるようになった。

「しかしまさか君とこうして会えるとは」

「凄い人生です」

豊は沓子の瞳をまじまじと覗き込んだ。そこに二十五年前の自分が映っているような気がしたからである。

「僕は変わったかい？」

言うと、彼女は頷いた。

「とても立派になられました」

思わず相好《そうごう》が崩れた。確かに変わった。もう好青年を利用することはできない。いつも真剣に社会と向き合って生きてきた。当然その分の労苦が顔に出ているはずである。正直仕事にも人生にも疲れていた。自分の描いた通りの人生を歩くことへの快感は、常務に就任した時に少し味わうことができたが、それとて冷静に判断すれば、ちっぽけな快感に過ぎなかった。自分がひたすら走り続けて得ようとしたものがその程度の喜びであった、ということを知って、彼は急に窶《やつ》れようとしていた。このまま社長の椅子を狙う人生をまだしばらく必死で生きるつもりではいる。それ以外に豊には楽しみがなかったのだから、仕方がない。同時に人生が最終コーナーへと差しかかった今、自分の生涯というものを秤に掛けようとすればするたび、何かぽっかりとあいた穴のような空洞を感じてならなかった。

その穴を強引に覗こうとする時、彼にはいつも一九七五年のバンコクの街並みと若く華やかな沓子の姿が思い浮かぶのだった。あの時、全てを捨てて彼女を取っていたなら、自分は今のような後悔をしていなかったかもしれない、と時々考えた。そしてそれをすぐに打ち消し、いいや、きっともっと最悪の人生を生きたに違いない、と苦笑するのだった。苦笑しながらも、目は笑えず、輝かしい光の乱舞や、風の誘惑や、沓子の美しい瞳をこっそりと思い出さずにはいられなかった。

「貫禄ばかりついてしまった」

「もう好青年ではないわね」

二人は微笑み合った。その瞬間、豊の全身から、張り詰めていた力が抜けていった。

「私は変わったでしょ？　二十五年も経つと女はだめね」

豊はかぶりを振った。

「君はもっと素敵になっている」

豊は杳子の唇に目が留まった。何度も口づけをした薄くて形のよい唇である。昔よりも少し濃いめの口紅が塗ってあった。キスをした時の感触が脳裏を過っていった。見た目よりもずっと柔らかく、甘い唇。

キスをしたい、という邪念が湧き、それを振り払うように豊は踵《きびす》を返した。窓まで歩くと、燃えたぎる感情を落ち着かせるために、レースのカーテンを捲《めく》る。椰子の木は当時のままであったが、チャオプラヤー川の先に広がる対岸の景色に変化があった。かつては平野が果てしなく広がっていたのに、今は高層ビルが幾本か建って、視界を塞いでいた。ビルの奥には畑や田んぼではなく、低層の家が寄り添うように乱立している。

「随分と賑やかになったんだな」

杳子がすぐ横に寄り添った。

「どんどん時代は移り変わっているのです」

「そうだね。容赦なく時代は移り変わるものだ」

沓子が豊の腕を摑《つか》んだ。ぎゅっと握られ、彼の背中を甘い刺激が駆け登っていく。豊が沓子の唇に引き寄せられようとした瞬間、今度は沓子が踵を返した。

「仕事に戻らなければ」

沓子は豊の視線をかい潜ると、ポケットから名刺とペンを取り出し、そこに何やら文字と数字を書き込んだ。

「自宅の住所と電話番号です。ひとり住まいだから、お仕事が早く終わるようなことがあれば連絡を下さい。懐かしいバンコクを一緒に歩きたいので」

名刺を手渡すと、沓子は急いで室内を横切り、ドアの前で立ち止まった。

「今日の夜は？」

自分の口をまたしても、意識を無視して言葉がついて出た。明日のパーティが終われば、すぐに日本に戻らなければならない。ゆっくりと時間を作るとしたら今夜しかなかった。話したいことが山ほどあった。こちらがそのきっかけを作らなければまた長いこと会えなくなってしまう。

「今夜。今夜は八時まで仕事があるけど。その後なら」

「じゃあ、八時三十分に上の、君とよく食事をしたあのフレンチレストランで。まだあるかな」

「ええ、ノルマンディでしょ」

「そうだ、ノルマンディ」

沓子が頷いたので、豊は微笑みを返した。

「でも部下の方々と一緒じゃなくていいのかしら」

「構わない」

少しの間があいた後、沓子が、じゃあ、予約を入れておきます、後ほど、と言ってドアを開け、部屋を出ていった。

豊の手の中に沓子が渡していった名刺だけが残った。そこには彼女の家の住所と電話番号が記されてあった。見覚えのある字。斜めに傾斜した文字で、真中沓子、と書かれてあった。

豊は黄金の寝室に戻り、ベッドの上に横たわった。唐突な再会がもたらすものが何か、冷静に分析しなければならない、と考えた。しかし冷静になどなれるはずはなかった。内側から心臓を激しくノックする年甲斐もない興奮が続いた。疲れているのに、神経は張り詰めていた。目を瞑《つむ》ると沓子の顔がちらつく。強引に手渡された名刺を目の前に持ってきて覗き込んだ。何かを伝えようとする時の彼女の瞳はいつだって輝いている。

不意に一九七五年のバンコクへ記憶が飛ぶ。あの日も彼女は強引に部屋に入ってきたのだった。そしていきなりカーテンを閉めて服を脱いだ。記憶の奥底に押し込めていた懐かしい思い出であった。

沓子の瑞々《みずみず》しい肉体を思い出す。豊は自分の体を抱きしめた。このベッドの上で行われた無数の抱擁を思い出さずにはおれなかった。

「沓子」

声に出してみる。そして青年のようなことをしている自分に不意に恥じ入り、彼はベッドに起き上がった。肩の力を抜き、小さく頭を振った。思わず、相好が崩れてしまう。いったい誰がこんな運命の悪戯《いたずら》を思いつき、こんな再会をお与えになったのだろう、たった一度しかない人生の真上に。

豊は小さなため息を漏らした後、ゆっくりと立ち上がった。

第三章

人生を二度生きることができる人はいない。

人生を最初からやり直すことができる者もいない。人生とはつまり取り返しがつかない一瞬一瞬の連続でもある。東垣内豊の人生もまた例外ではなかった。彼は多くの後悔を、成功と幸福の裏側に隠して生きてきた。しかし運命が人生の前に立ち現れた時、彼は残りの人生について再考を迫られた。

豊が運命に導かれ、約束の時間よりも前にフレンチレストランノルマンディに顔を出した時、真中沓子はすでに中程のテーブル、そこはかつて二人がよく食事をした席でもあったが、真っ赤なクロスが鮮やかなテーブルの奥の席に腰掛け、一人窓の外を眺めて待っていた。その横顔は二人の間に横たわる時間という大河の深さと激しさと長さをしみじみと受け止めた物静かなものであった。

豊は彼女が気がつくまでのほんの暫《しばら》く、レストランの中程に置かれた鉢植えの緑の陰から、様子を窺《うかが》っていた。語り尽くせないほどに長い時間が無情に流れていた。その横顔に重ねて豊の脳裏には若く輝かしい沓子の姿がオーバーラップしていった。

彼女が豊に気がつき、目を少し見開いたので、豊は記憶の日々から現実の世界へと感情を引き戻して、微笑み返した。

約束の八時三十分までの間、豊は心臓が麻痺《まひ》しそうなくらい激しく胸をときめかせて待った。サマーセットモームスイートのベッドに横たわり、天井の微《かす》かな染みを見つめながら、この奇遇、或いは悪戯《いたずら》な運命に心をときめかせていたのだった。ときめくなど正直に言えばこの二十五年の間一度もなかったことである。そういうことは全て沓子と別れた時に一緒に捨ててしまっていたのだった。

だから自分の中に、まだ何かに対してときめくという気持ちが残っていたことに驚き、そして興奮もした。五十歳を超え、六十歳まであと少しというこの年齢で、まるで若者のように胸を躍らせている自分が信じられなかった。そして、こんなことはきっともうこれから先の人生においては二度とないことであろう、と彼は自分にきつく言い聞かせた。

人生は取り返しがつかないものであり、ならばこうして現れた偶然の邂逅《かいこう》は神の悪戯だと思うしかないのだろう。いや、偶然こそ人生にいつだって意味の色を投げつけるものなのである。つまり偶然とはあらかじめ予定されていたことを意味した。

豊はこっそりと残りの人生について想像してみた後、そこから逸《そ》れてはじまるもう一つの脇道の人生についても想像を膨らませてみた。光子と結婚し、光子と歩んだ人生のその後は変化のない平坦で安心感のある人生。そして今不意に現れた沓子が持ち込むかもしれないまったく想像さえできない新たな人生。その両者の狭間《はざま》で豊は胸内を煽《あお》られていた。


二人はノルマンディで向かい合い、静かな気分の高揚を覚えていた。それぞれの二十五年を語り合えば幾らでも話すことはあったに違いない。しかし二人は決してその後の人生のことについては口にすることはなかった。かつて愛という言葉を決して口にしなかったのと同じ理由で……。

硬直していた二人の間にしなやかな時間が流れだすのに、三十分はかかった。二十五年の空白のせいだから仕方のないことだが、しかし三十分が過ぎた後は不思議なほど打ち解け、昔のようにとは言い切れないが、随分と心を許し合うことができた。

二人は思い出話に耽《ふけ》った。それは出会いから別れまでのあの四ヵ月ほどの短い日々についてである。微笑みは絶えなかったが、時々言葉が詰まっては、感情のコントロールがきかなくなって、お互いの瞳が湿った。それが乾くのを待ってから再び口許に微笑みを拵《こしら》え、当時へと戻っていくのだった。

「あまりにも無謀であまりにも情熱的でしたわね」

真中沓子がそう呟き、東垣内豊は、小首を何度も上下にさせた。

二十五年の歳月が二人をそれぞれ、無謀からほど遠い立場に押し上げていた。微笑みを交わせるようになってからも二人の口調は装ったままだった。言葉はかつてのように裸のままではなく、きちんと正装をしており、非常に丁寧でよそよそしいものであった。

「昔みたいにはいかないものだね」

豊がなかば残念がって、そう言うと、沓子は、それは無理ですわ、と赤くなって下を向いた。豊は二十五年という時の大河の無情を思い、苦笑した。それから顔が強張《こわば》り、まっすぐにかつての恋人を見つめた。二人は見つめ合い、それはギャルソンが料理を運んで来るまで続いたが、二人が目を逸らした瞬間、今という現実がそれぞれの背後にあることを思い知らされるのだった。

話は閉店まで続いたが、それを超えるものではなかった。話し足りない気持ちを隠して二人は席を立った。ノルマンディの支配人に見送られて三人も乗れば満員になってしまう小型のエレベーターに豊と杳子は乗った。

二人の距離が縮まり、杳子が斜め前にいた。扉が閉まり、エレベーターが下りはじめると、彼女がゆっくり豊のほうを振り返った。スローモーションの映像を見ているようにゆっくりとした動きである。

後悔は我が人生において一度で十分であろう、と豊は自分に言い聞かせた。振り返った杳子の腕を摑み、そのまま引き寄せ、驚いた彼女の唇に自分の唇を重ねた時、豊は二十五年前の若き自分に戻っていた。

二人は唇をいつまでも離さなかった。僅かに三十秒ほどの出来事だっただろうに、二人にはこの二十五年を往復するほど長い時間に感じられていた。エレベーターが一階に着き、扉が開くと、杳子は豊から目に留まらぬ速さで離れ、ポケットからハンカチを取り出すとそれで豊の唇に残った紅を拭い、次には何事もなかったかのように先に降りた。

オーサーズラウンジの灯はすっかり消えており、静まり返った空間だけがそこに広がっていた。沓子は豊が出てくるのを待って一言、

「この好青年め」

と言った。

豊の緊張がほぐれた。沓子の瞳が輝いている。月夜の晩の猫のような怪しげな瞳であった。年月に風化されていないかつての恋人の姿を見ることができて、豊は嬉しかった。目頭が緩く、そして熱くなり、彼女が次第にぼやけていった。

「いつも好青年だった。ずるい人だったわ」

沓子が囁くように呟いた。その声はあの声。二十五年前に耳元で何度も聞かされたあの懐かしい女の声。

「あんなに愛した人はその後現れなかった。短い一時だったけれど、幸福だったわ」

豊は頷いた。すると彼女は尖《とが》った言葉を口にした。

「愛していたのよ」

二十五年前は二人ともその言葉に怯《おび》えて過ごしていた。今だったら言えると豊は心を引き締めた。

「愛していた。私も君を愛していたよ」

沓子は暫く沈黙した後、ずるい、と呟いた。彼女の瞳が涙の中に浸《つ》かっていくのが豊には見えた。頬を遠慮なく零れ落ちる涙を彼女は拭うことも忘れて泣き続けた。

「今更何よ。今更愛していただなんて」

真中沓子は微笑みながら、笑いながら泣いた。豊の頬にも涙の雫が流れていった。二人はザ・オリエンタル、バンコクの旧館の薄暗い廊下で向き合い当時へと思いをはせていた。目を閉じれば二人はあっという間に三十代のあの頃に戻ってしまいそうだった。

「今頃愛していたなんて言ってももう遅い。何もかも遅すぎる。ずるいのよ。好青年、君は本当にひどい男だったわ」

そう言い終わると、沓子が走り寄ってきて、戸惑う豊の唇にキスをした。ほんの一瞬の出来事で、しかも光の届かない暗い場所でのことで、感じたのは唇の先端だけであった。しかしそれは十分に豊の心を刺激した。豊が慌てて彼女を抱きしめようとしたが、真中沓子は決して捕まえることができない逃げ水のようなすばしこさで彼の元を去った。振り返らずロビーラウンジのほうへと消えていった。彼女の足音だけが豊の胸の奥に響き続けていた。

二人の再会はお互いの心に小さな灯火を灯したが、しかしそれ以上距離が縮まることはなかった。彼はまたしても安定した人生を選択してしまうことになる。バンコクにいる間中、彼は悩むことになるが、彼女の自宅へ電話をかけることはなかった。沓子のほうから豊に個人的な連絡を入れることもなかった。二人は現在の自分の立場をそれぞれ理解し、弁《わきま》えたのである。

記念式典をハンドリングする溌剌《はつらつ》とした沓子を眺めながら、豊は静かに気持ちを現実へと戻していった。思い出を掘り返さないようにそっと記憶の墓場の中へと埋葬して。

もういつまでも好青年ではいられなかった。好青年としての東垣内豊は彼女の記憶の中にいるだけで良かった。それでいい、と彼は遠くから沓子を眺めて思ったのだ。そして挨拶もそこそこ、何かに引き止められるのを恐れて、彼はバンコクを離れたのである。

再会が意味しているものはつねに人生を振り返るという行為である。日本に戻る飛行機の機内で東垣内豊は自分が選んだ二十五年の人生を、最初から最後まで何度も振り返り、考えた。悩んでもいいけれど、迷ってはいけない、と言った滝沢ナエの手紙を豊は思い出した。もう迷うことはなかった。それが大人になるということであり、社会的であるということだった。

そしてそれは人生の死を意味してもいた。すぐに死があるのではない。じわじわと近づいてくる人生の最後。

ため息が勝手に零れる。豊の人生にとって沓子が意味するものはいったい何だったのか。彼女は何を伝えるために自分の人生に現れたのか。あるいは自分は何を彼女に与えるために彼女の人生をあれほどひっかき回したのだろう。

バンコクから戻っての数日は魂が抜けたような日々を送ることとなった。仕事にも力が入らず、妻光子との会話にも気持ちが入らなかった。むしろ光子と息子たちについて話をするたびに真中沓子の顔を思い出して仕方がなかった。

「どうしたのですか、このところ何だか魂が抜けてしまった人のような顔をして、いつもぼんやりとなさっているけれど」

豊が食べ残した朝食の後片付けをしながら光子がこぼした。

「いいや、ちょっと疲れただけだ」

言うと、光子が笑いながら、あなたのその顔はまるで人生に疲れた人のようですわよ、と返された。微笑み返そうとしたが思わず頬の肉が引きつってしまった。

会社に出ても同じように仕事に精が出なかった。イースタンエアーラインズに入社してはじめての経験である。野心だけが取り柄《とりえ》の豊であったが、仕事に向き合おうとすると沓子のことを思い出してしまう。一旦思い出すとそれは次々に押し寄せてきて、彼の気力を奪って去った。

そんな豊の元に沓子からの一通の手紙が届いたのは、バンコクから戻って一月ほどが過ぎた頃のことである。親展と書かれた分厚い国際郵便を秘書の笠井が持ってきたが、差出人に真中沓子と書かれていることを若干不審がっている様子で、どうしましようか、というような顔をしてみせた。豊はそれを受け取ると、ちょっと個人的に調べてもらいたいことがあったので帰る前に頼んでおいたんだよ、と話をはぐらかせた。

一人になり、豊は封を切った。それはこの二十五年の不在について細かく綴られた手紙であった。

前略

突然の再会からもう一月が経ちました。こんな手紙を受け取り困りはてているあなたの顔が浮かびます。もっとも私の脳裏の中には成功した現在のあなたではなく、好青年だった頃のあのやんちゃな時代のあなたの顔が思い浮かぶのですが。

もしも過去を過去として離して留めておきたいとお考えでしたら、きっとこの手紙はあなたを煩《わずら》わせるだけでしょうから、迷わず破棄なさることをお勧め致します。でももしもあなたが過去の一時にほんの少しでも後悔の念を抱いていらっしゃるのならどうか私のささやかなその後の人生の話に耳を傾ける少しのお時間をくださいませ。

私はあなたと別れてから一旦日本へと戻りましたが、どんなにしてもあなたのことを忘れることができませんでした。僅かに四ヵ月にも満たないお付き合いだったのに、

あなたは私のその後の人生から離れることがなかったのです。寝ても起きてもあなたが私の心の側に寄り添っているのです。あなたの肌の温もりやあなたの唇の厚みが私の体内と頭の中から出ていかない限り、私は誰か別の殿方を愛することはできない、と悟ったのです。しかしこれはかなりの難題でした。あなたは、どんなに時がうつろっていっても私の心の中に居座り続けるのです。私はあなたを忘れるためにこの二十五年を費やしたと言っても過言ではないでしょう。

結論からもうしますと、あなたを忘れることができませんでした。現在も私が独り身で生きている理由はきっとそういうことからなのです。信じて頂けなければ信じて頂く必要はありませんが、これは事実なのですからどうすることもできません。

東京に戻ってから知人の小説家の家に転がりこみました。その方は以前あなたにも少しお話ししたことがある私の保護者のような人です。もっとも血が繋がっておらず、私を娘のように愛してくれているという理由だけですから男と女の関係になっても不思議ではなかったし、そうなりかけた事もありましたが、私はあなたを忘れることができず、結局その人とは肉体も心も結ばれることはありませんでした。二十五年もの人生があるわけですから、このようなあばずれな私にも優しくお声を掛けてくださる素敵な殿方は他にも数名おりました。しかしそれなりの関係にはなっても、結局あなたを忘れられない理由で、小説家の先生同様、最後まで誰とも思いを重ね合うことができなかったのです。どうしてこんなにあなたが好きだったのかと、慌てる日々でした。忘れられないのです。あの僅かに四ヵ月の出来事が。

ふとしたついでにいつもあなたの亡霊に苦しめられました。そして取り返しのつかないことをしたのだ、と激しく後悔したものです。つまりあそこで身を引いてしまった自分の、一雫の後悔が重くのしかかってきて、結局私の生涯をも支配してしまったのでした。

あなたの現在の幸福を奪おうと思っているわけではありません。第一、もう私は年をとりすぎました。あなたを思っている間に二十五年もの時間が経ってしまったのですから。今のあなたには長年連れ添った大切な奥様がおられます。そのことを知りながら、私は本当に愚かだとしか言えないのですが、この二十五年を過去のあなたへの思いだけで生きてきてしまったのです。あなたは成功をして、渋く凜々《りり》しくますます立派になられました。あるいは若く賢い女性がきっと周りに大勢いらっしゃることと思います。私の出番が永劫にないことは当然知っているつもりなのです。しかし偶然の再会には運命の強い力を感じずにはいられません。もっともこの再会は完全な偶然ではないのですが。

私は十五年ほど何もせずに前の夫が残してくれた慰謝料だけで暮らしておりました。しかしそういう目的のない人生は本当につまらないものですし、愛がないというのも堪《こた》えました。そして私は東京でのだらし無く寂しい生活に苦しくなり、常夏の都バンコクで再び生きることを考えるようになるのです。バンコクに戻りましたが、かつてほど財産があるわけではありません。とてもオリエンタルホテルのスイートで悠々自適の生活をおくることなどできません。郊外に小さな家を買い、知人が経営する、日本とタイの企業の橋渡しをするようなコンサルティング会社で簡単な仕事のお手伝いをしていたのです。オリエンタルホテルにもしょっちゅう仕事で出入りをするようになりました。ドイツ人の若い支配人がいたことを覚えていますか、背の高くてとても優しい笑顔のナイスガイ。彼は現在でもオリエンタルホテルのジェネラルマネージャーを務めております。

彼は私のことをよく覚えていて下さって、バンコクでの再スタートを本当に応援して下さいました。彼の家族にも親戚同様に親しくして頂きました。時を同じくして、オリエンタルホテルが日本の企業に積極的に売り込むことになります。新設したジャパニーズアカウント担当として、日本企業のハンドリングをして貰えないか、と彼に誘われることとなるのです。丁度、将来のことについても考える年齢になっていましたし、前の夫からもらった慰謝料もそろそろ底をついてきていたという事情もあり、私はその道を選択することになります。

しかし私がこの新しい仕事に大きな興味を抱いたのには別の理由もあったのです。或いはもしかしたらこの仕事を通じてあなたと再会できるのではないか、という期待。

昨年、イースタンエアーラインズの本社まで出掛けました。就航四十周年が間近だという情報を聞きつけたので、売り込むためです。品川にあるあなたの会社の本社ビルに足を踏み入れた時、このビルにあなたがいるのだと考え震えました。あなたが専務に昇進なさっていたのはバンコクの駐在事務所の人間から聞いて知っておりました。廊下を歩きながら、どこかにあなたが立っているのではないか、とあちこちを探したものです。

結局あなたとは会えませんでしたが、私の執念が通じて、四十周年の記念パーティをオリエンタルホテルで開くという私の企画が採用されることとなるわけです。あとはこの式典にあなたがやってきてくれればいいわけです。しかしこれはかなり無謀な祈りですね。社長や副社長が来るのが当然なのですから。

あなたがバンコクにいらっしゃると聞いたのは式典の一週間ほど前のことです。予定していた副社長の都合が悪くなり、急遽《きゅうきょ》専務が代理で来るというので、私はその日から眠れなくなりました。偶然の最後の一押しを神様に助けられたような気分でした。

再会の日、私は一睡もしていなかった。目が赤かったでしょ。あなたに会えるという思いだけで私はその日に挑んだのです。二十五年の思いを込めて。

あなたとお会いできて本当に嬉しかった。そして、あなたが東京にお戻りになられた後、私はやっとこの二十五年の呪縛から解き放たれることができました。いえ、あなたを忘れることができたというのではありません。ただ毎晩のようにあなたのことを考えて暮らしたこの長い悪夢からやっと解放されたのです。あなたは私の中であの夜、永遠になりました。私の人生はもう最終段階に入っていますが、その残り少ない人生の中であなたが私の心の中で永遠に輝き続けることは間違いなさそうです。

もう二度とお会いすることはないでしょうが、私はあなたのことを忘れません。あなたの思い出を一生持って生きていく覚悟ができました。あなたを愛していました。

ほんとうに短い期間の愛でしたし、その当時、私達は決して愛という言葉を口にすることもなかったけれど、でもあれは確かに愛でした。それはこの二十五年という歳月が証明しています。

覚えているでしょうか。あなたは私に出会ったばかりのある時、こう質問をしましたね。死ぬ間際、君は愛したことを思い出す？　それとも愛されたことを思い出す？

私は、最初は愛されたことを思い出す、と答えました。でも四ヵ月が経って、私の気持ちは変わったのです。私は愛したことを思い出すだろうって申し上げました。その通りになりそうです。その気持ちが今も変わらないことを誇りに思います。そしてその相手が誰でもない、東垣内豊であることを誇りに思います。

私はあなたを待っていて良かった。あなたを愛し続けてきて良かったと思いました。ありがとうございます。感謝の気持ちでいっぱいなんです。どうかお笑いにならないで。こんな愚かな女でも精一杯思い出を大切に胸に秘めて生きてきたのですから。

過去のもう忘れてしまいたい人間からの無遠慮な告白に貴重なお時間を割いてしまわせましたこと、本当に申し訳なく思います。でも元気なあなたを一目見ることができたことで、私は残りの人生を真摯《しんし》に生きてゆくことができそうです。ありがとう。

ありがとう。本当にありがとうございました。あの再会の時にはとても言えませんでした。どんな時も時間ばかりがかかってしまう。乱筆乱文お許しください。

真中沓子

好青年さま

第四章

長男の健がＣＤデビューを飾り、深夜の音楽番組に出るということで、光子は朝から落ち着かなかった。大学生の剛がソワソワ動き回っている母親に、

「デビューしたと言ってもインディーズだし、音楽番組と言ったって、メジャーな番組じゃなくて、マニアックな番組なんだぜ」

と忠告をしている。東垣内豊はそんな家族の仲睦まじい日常を耳に挟みながらも、気持ちは上の空だった。再会から四年もの月日が流れていたが、一日に何度も懐かしい女性のことを考えていた。それはもうほとんど日課のように。光子には申し訳なかったが、豊にとってそれは一種のトラウマとなっていた。

時間だけはどうしようもない。時間を制御できる人間はいないのだから仕方がない。

世界中の空と世界中の路線を手中におさめようとしている豊でさえ、また時間の前では無力であった。

彼女からの手紙は誰にも見つからないよう、銀行の貸し金庫の中に預けてあった。この四年の間に彼は社長の急死を受けて、副社長に就任していた。彼は自分の望み通り以上に順風満帆な人生を歩んでいた。夢だったイースタンエアーラインズの社長の座まであと一手というところまで来ている。実力と偶然と運命に助けられた不思議な人生であった。フレッシュマンとして入社した人間が当然全て社長になれるわけはなく、あまたいる有能な社員の中のただ一人がその幸運にめぐり合うことができるのだった。

ならば彼は与えられたチャンスを勝ち取るために、日々猛烈に仕事に向かっているはずであったが、そんな豊の心には沓子との再会以来、奇妙な疲れと戸惑いが滲んでは消えず、気力はどんどん消耗していた。

年を重ねるごとに、沓子と添い遂げることができなかった後悔が膨らんで仕方なかった。勿論、それで仕事ができなくなる、というほどではなかったが、残り少ない自分の人生を振り返る時、いつも沓子への果たせなかった気持ちが胸の袂《たもと》につっかかるのであった。

ならば連絡を入れてもう一度会えばいいのだが、今更会ってどうする、という思いにいつもほだされて体も心ももう一つ自由になれない。時間を逆行するだけのエネルギーはもう残ってはいないのだった。

来年、六十歳になる。好青年と言われていた頃の無謀がただただ懐かしい。熱い感情がせり上がってくるたびに、愚かな自分を叱咤し、迷いを失笑でかわしてきた。しかしいつまで経っても、いや、ますますと言ったほうが適切なほどに、豊の胸の内で沓子の存在が確かに揺るぎなく広がっていくのも事実だった。


深夜、光子に叩き起こされて豊はテレビの前に座った。健の演奏と歌は想像していたほど酷《ひど》いものではなかったが、飛び抜けて素晴らしいというものでも、逆に斬新で年寄りにはまったく理解できないというものでもなく、悪く言えば無難な出来で、ただ一人母親光子にだけは息子が光り輝いて見えるようであった。

「頑張っているじゃない」

恋人を見るような目で、光子がそう呟くたび、豊はため息を漏らした。それは親馬鹿な光子に対してではなく、この居心地の良い家族の中にどっぷりと浸かりながらも一方で忘れえぬ人のことをこっそりと考えなければならない自分の今の立場への憤《いきどお》りと苛立ちからであった。

「どうかなさったの？　なんか最近ため息ばかりついているようですけど」

気がつくと、テレビに齧《かじ》りついていた光子が振り返り、心配そうに告げた。豊は、いや、と小首を傾《かし》げつつも、薄青色の幕が心をしっぽりと包み込んでいるのを見抜かれ、瞬間じたばたとした。

「なんでもない」

「副社長という役職が重たいんですか」

「まさか」

「でも、副社長になる少し前くらいから、冴えない顔色をしている」

「そうだろうか」

「そんなことも見抜けないような妻を二十五年以上もしてきたつもりはないわ」

どういう顔をしていいものか、豊は用心をした。もしかして全てを見抜かれてしまっているのかも。或いは貸し金庫に隠してある手紙を読まれたのではないか、と焦っ

た。小さく咳払いをしてから、

「大丈夫だ。ちょっと責任が重たいだけだよ」

　と逃げておいた。

「無理をしないで。なんなら、会社を辞めてね、二人でどこか山か海のほうに引っ越して、人生をやり直したって構わないんですから。どうせ子供たちはもうじきみんなここから巣立っていくんだし」

　豊は思わず口許に笑みが零れた。妻の気遣いがそうさせたのではない。これほどまでに自分のことを思ってくれている人間が傍にいながら、過去を断ち切れないでいる自分がおかしかった、いや、悲しくもある。

「社長なんか目指さなくたっていいんですよ。もう十分あなたはやったんだから。ここで十分。上を見てばかりいるときりがないでしょ。適度な人生こそが長生きの秘訣なんですからね」

　もっともだな、と豊は答えておいた。副社長になったからには、社長を目指すのが当然のように思われた。会社も近年順調な業績を上げており、大きな失敗さえしなければこのまま年功序列の法に則《のっと》って、社長の椅子は間違いないところにあった。しかし、出世に囚われての心労ではなく、それが過去の人への今更ながらの迷いであろうなどとは、まさか光子にも言えることではない。

翌朝、出勤の時、そうだ、渡したいものがあるんだ、と光子が出掛けに何やら小冊子を片手に持って走ってきた。玄関でそれを手渡された時、豊の心がまた揺れた。そこには片仮名で、サヨナライツカ、と書かれてあった。

「思えばね、銀婚式も、結局何もしなかったでしょ。だからこれ三百部作ったんです。今流行りの自費出版というやつで」

ページを捲ると最初の詩がサヨナライツカだった。その詩の最後の部分に目が留まる。

サヨナライツカ

永遠の幸福なんてないように
永遠の不幸もない
いつかサヨナラがやってきて、いつかコンニチワがやってくる

人間は死ぬとき、愛されたことを思い出すヒトと
愛したことを思い出すヒトとにわかれる

私はきっと愛したことを思い出す

「それ、あなたにあげる」

豊は、ありがとう、と呟いたが、視線は詩から離れることはなかった。

「なあ、訊いてもいいかい」

「変わらないわよ」

「えっ」

「死ぬときに私がどちらを選んで思い出すかでしょ。私は最初からずっと、愛したことを思い出すタイプなの、愛したことを必ず思い出すと思うわ。あなたとそれから可愛い二人の息子たちのことを」

豊は、そうか、と頷き、妻がこっそりと作った詩集を握りしめた。

「じゃあ、行って来る。今日は遅くなるから先に休んでいなさい」

「はい、あっ、あなた、無理だけはしないで下さい」

豊は立ち止まった。その背中に向かって光子が言葉を優しく投げかけてきた。

「いつでも辛くなったら会社を辞めてもいいんですよ。何度でも言うけれど、もう十分あなたはやったんだから。これからは楽しいと思える人生を二人で一緒に、歩きましょう」

豊は、頷くと振り返らずに出掛けた。この三十年近く、光子は申し分のない妻と母を演じてくれていた。光子の甲斐甲斐しい姿をまともに見ることができなかった。彼女を愛しているのは事実だったし、また同じくらいに息子たちを愛していた。

二十一世紀を迎えてもなお、豊の心には二十世紀の甘い官能の香りが記憶を占拠し続けている。新しい春はどこか切なく、褪《あ》せた光に支配されていた。

「少し待っていてくれ」

豊は運転手にそう告げて車を降り、預金している銀行の中へと入っていった。月に一度ほどの割合で時間ができると銀行に立ち寄る豊の行動を、運転手が怪しんだとしても不思議ではなかった。副社長がそこで貸し金庫に保管してあるかつての恋人からの手紙を読んでいるなどとはまさか想像もできないことである。

豊が店内に入ると、担当である支店長代理がやって来て、貸し金庫まで豊を案内した。頻繁に訪れる豊を彼も不思議に感じてはいたが、結局運転手同様口にすることはなかった。貸し金庫を客が利用している間は行員も他の客も中に入ることができなかった。それは豊にとっては都合が良かった。取り出した手紙を誰に憚《はばか》ることなく読むことができる。もっとも文面はもうすっかり暗記しており、内容を確認したくて見るのではなく、手紙そのものから香る沓子の思い出を嗅ぎたかっただけだった。

豊は返事を書かなかった。正確には何度も書こうと試みたのだが、結局全て失敗してしまい投函することはなかった。どんな美しい言葉を紡いでも、読み返すとそれは嘘臭く、納得がいかなかった。ならば理由をつけてタイを再訪することもできたが、これもまた幾度と悩んだ末に結局実行には移せずじまい。やはりいつも、今更、という思いが先立ってしまうのだった。だから豊はバンコク支店からの報告ばかりを気にして、時には東南アジアから戻ってきた社員を呼びつけては、向こうの様子を聞き出そうとした。

豊は読み終えた沓子の手紙を元のボックスに戻した。その時、妻の詩集も一緒にそこにしまった。それは沓子の手紙だけをそこにしまっているという後ろめたさからの行動でもあった。光子の詩集と沓子の手紙がそこでは仲良く納まっていた。

厳重に鍵を掛けると貸し金庫室から出た。支店長代理は、お忙しいですか、と当たり障《さわ》りのない質問をした。豊は笑顔で、とてもね、と一言だけ返事を戻した。

銀行から出ると決まって東垣内豊は気分が重たくなり、目を瞑っては考え込んだ。運転手はバックミラー越しに豊の顔をちらりと見るだけで、余計なことは詮索しなかった。

そんな豊だったが、過去に引きずられて仕事ができなくなるというお粗末を演じることはなかった。現在の社長とは、急死した先代の社長よりもうまが合ったし信頼もされていた。過去を忘れるためには今と向き合うしかないと考え、豊は五十九歳とは思えない行動力で仕事をこなし、社長をよく支え「ザ・副」という異名を取った。ナンバーツーという立場は東垣内豊にとっては気楽でもあった。仕事に奔走していれば、彼女、のことも忘れられ、一石二鳥という按配である。

そんな豊の元に沓子から新しい手紙が届いた。秘書が差出人の名を告げた時、豊はまるでラブレターを待っていた中学生のように声を上げ、無防備に驚いてしまった。怪しまれたのではないかと、次には急に押し黙ってしまったので、逆に秘書は心配して、何か、と豊の顔色を覗き込んだ。なんでもない、とその場をごまかし、副社長室に籠ると、震える手で早速封を切った。

封を切る瞬間、手紙の中に押し込められていた杳子の魂が溢れ出てきた気がして、思わず目を瞑り、再会した時の口づけの甘美な感触をのみ込んだ。確かに杳子の字であった。貸し金庫に預けてある手紙の文字とまったく同じ、細く優しい日本語である。

豊はそれを読む前、一度鼻に近づけて香りを嗅いでみた。微かに南国の花の香りがした。それは杳子が便箋のどこかにわざと一滴隠した香水の匂いに違いないのに、豊には、手紙を書いている時についた彼女の柔らかい体臭のような気がしてならなかった。

前略

あれから体を壊して、通院の日々が続いております。たいした病気というわけではないのですがやはり六十歳を超えて一人で生きていると、いろいろとあるようです。

ホテルの階段で躓《つまず》いて倒れ、足を折ったのが原因でしたが、ただの骨折というわけにはいきませんでした。何か折れ方が普通ではないということで、医者が検査をしたいと言いだしたのです。普通はポキッと折れるところを、私の足はぐしゃぐしゃという感じで折れていました。こう書くと、なんだか重病人のようですが、まあ、騒ぐほどのことはないと思います。でもオリエンタルホテルの支配人や仲間たちが、用心に越したことはない、というもので、来週再検査を改めてすることになりました。

一人だから、自分で自分の体を気にしないとならないし、ここは日本ではないので、国が私の健康を守ってくれるわけではありません。だから高い治療費をだして、自分で自分のチェックをしている次第であります。それにしても寄る年波に勝てず、身体的にどんどん衰弱していく自分が情けなくて仕方がありません。気持ちはまだ若いと思っていても本当、ダメですね。

ジェネラルも、同僚たちもみな家族のように心配してくれているのですが、これ以上あそこで頑張るともっと迷惑をかけることになりそうなので、よく考えた末、半年ほど前にオリエンタルホテルも退社いたしました。今は契約社員のような待遇で、大きな仕事のプロデュースのようなことをさせていただいております。

元気に頑張っているだろう豊さんの元へ、このような辛い手紙を出したくはなかったし、実際投函を躊躇《ためら》いましたが、結局書き直しを繰り返した挙げ句この手紙は投函されることになるのだと思います。

豊さんはお元気で活躍されているみたいですね、こちらのＥＡの社員の方から副社長に就任されたという話を聞き、おめでとう、を言いたくてこうして手紙を書いてしまいました。本当はもっと早くにおめでとうを言いたかったのですが、いろいろと迷っていたのです。今度の怪我がなければやっぱり出さなかったかもしれません。

それにしても、過去とはいったい何でしょう。思い出とはあれほど楽しいことであっても、どうしてこんなに寂しく思えるものなのでしょう。老いていく肉体、過ぎていく時間。それらを見つめながら、私はやはり四半世紀も前の、いえもう三十年近くも前のことになりましたね、あの楽しかった無謀な時代を思い出さずにはおれないのです。それが全てであるかのように生きることはやはり辛いことです。しかもこうして怪我をしてしまいますと、なおさらのことでもあります。寝ても覚めても私にはあなたと過ごした時間しか見えないのです。

こんな手紙を出したところで、何も変わらないし、勿論何かを変えようと思っているわけでもありません。ただ生きている間に、自分の人生が無意味ではなかったと思えたらいい、とどこかで願っているからに違いありません。では、私の人生における意味とは何でしょう。それは豊さん、あなたなのです。

私はあなたからの返事をずっとこの四年待ちました。返事は来ない、と分かっていたのに、です。そうです。分かっているのです。そして自分がどれほどあなたに迷惑をかけているのかも。幸福に生きているあなたのところに不幸の風をふかせる私とはいったいなんと愚かな者でしょう。でも、あなたと繋がっていたかった。昔みたいにどんな形であろうと繋がっていたい。

あなたの記憶の中のどこか片隅に置いていてもらえるならそれで結構なのです。それ以上のことを望んでもいないし、望めるわけはありません。ただ、あなたと過ごしたあの一時期が私だけではなく、あなたにとっても重要な一時であったと信じたいのです。そしてそうであるなら、私はこの人生の最終コーナーでようやく幸福に触れることができる。なんと我が儘《まま》な女だと、笑われるのを覚悟で、そして恥を忍んで申し上げている次第です。許してくださいね。

私はあなたよりも年上ですから、もう六十歳をとうに超えてしまいました。六十年も生きてきただなんて、不思議。六十年ですよ。あんなに熱く激しく生きてきたので、過去を振り返ると六十年も生きてしまったのか、と驚きます。何をして六十年も生きてしまったのか。よく頑張った、と褒めてあげたいけれど、残念ながら褒める対象がありませんね。

最近は足を折ったせいもあって、少し気が弱くなってしまったみたいで、私は自分の死に場所のことをよく考えます。祖国で死にたいと思うことも少なくありませんが、時間の長さで言えばすでにタイで生きた方がずっと長いのです。できればここで死を待ちたいと考えています。自分に相応《ふさわ》しい死に場所がここだと思うのです。親も親戚もいません。友達も殆ど日本にはいません。私を大切に思ってくれる人たちはみんなタイの人々です。そういう意味では迷いはないのです。タイの土の下に埋めてもらえたら、それで満足かもしれません。ちょっと寂しい気もしますが、でもそれも運命だったのでしょう。

あなたと少しだけでも会えて嬉しかった。本当はそれだけでも神様に感謝しなければならないことなのです。それだけをお伝えしたかった。あなたが何も言わずにバンコクを離れていかれた日、私は再び、あなたに捨てられたような寂しさを覚えました。

でも同時にあなたは絶対に私を訪ねないとも思っていた。あなたに自宅の住所と電話番号を書き記した名刺を手渡した時、ここにあなたからの電話が掛かってくることがないのは分かっていました。分かっているのに、待つんですよね。馬鹿だと、愚かだと、分かっていながら私は待った。それからまた四年もの歳月が流れたというのに、私は待った。あなたはあなたの世界に戻って幸福に生きている。自分なんかがのこのこと出ていくところはない、と分かっているのですが、何故か手紙を書いてしまう。何故でしょう。自分が可哀相だと思います。その上、あなたからの返事を待つだなんて。なんて可哀相な人間でしょうね。こうして過去の川べりから未来に住むあなたに向けて手紙を書いているということ自体、情けない。毎日人生と戦っているあなたに迷惑を掛けてしまっている自分が、さらに情けない。本当にごめんなさい。

　ああ、それでも、なんでもいいから、あなたに自分の気持ちを伝えたかった。こうして異国であなたのことを静かに思っている女がいるということをお伝えしたかった。何十年も変わらぬ気持ちでお慕い続けている人間がいることを伝えたかった。ただそれだけの手紙なんです。愚かで、無神経で、悲しい沓子のことを、どうか忘れないでほしい、と。長くなりました。季節の変わり目です、お風邪などひかないようにどうかご自愛下さいませ。かしこ。

真中沓子

東垣内豊さま

豊は手紙を胸に抱きしめ泣いた。誰にも見られないように、こっそりと泣いた。咽《むせ》ぶ肺がまるで別の生き物のように老いた体の中心で若々しく粗暴に、そしてやんちゃに暴れた。なぜ返事を出してやらなかったのか、と後悔した。いや、なぜバンコクまで行ったのだから、彼女の気持ちまで分かっていたのだから、その足で彼女の自宅まで行かなかったのか。もっとゆっくりと会うべきだったのじゃないか、と後悔した。頭の中をいろいろなことが渦巻いていた。それらは中々一つの形へと像を結ばなかった。

苦しい日々のはじまりであった。二十九年前光子を選んだのと似た理由のせいで、豊はまたしてもすぐには返事が書けないでいた。ここですぐに返事を書いて、沓子を糠喜《ぬかよろこ》びさせるのはもっと残酷なことだと思ったからである。六十年もの歳月を生きた二人が過去の思い出だけに縋《すが》って何ができよう、何をはじめることができるだろう。

でもなんでもいいから、自分も沓子のことを思い続けたのだ、と伝えてやりたかった。なのに筆を握ることができない。なぜなら、その先をどうすればいいのか分からなかったからだ。過去をほじくり返すことになぜかブレーキが掛かってしまう。それは多分、社長の椅子が目前にあるからに違いなかった。妻が自分たちの愛を永遠にするために詩集をこっそりと作っていたからに違いなかった。そして可愛い息子たちがいるからに違いなかった。

豊は残り少ない時間を睨みながら、迷い続けた。このまま、時間切れになるのを待っていていいものか、と。時間切れを待とうとしている、自分との戦いでもあった。

新しい夏のはじめ、豊の元に沓子から新しい手紙が届いた。しかしその内容がより切迫しているものだったので、豊は読後しばらく動くことができなかった。

前略

前の手紙を最後にしようと思っていたのに、こうしてまた新しい手紙を書いてしまっている。でも多分、これが最後になるかと思います。あの後、病院での検査で新たな事実が判明してしまいました。最初は大したことではない、と高をくっていたのですが、血液検査をしたところ、腫瘍《しゆよう》マーカーに高い数値が出ており、更に精密検査をしたところ、癌だということが分かりました。足の骨折は、簡単に言えば、子宮癌が骨転移していたのだそうです。それもかなり全身に病状が進行しているとのことで、通院から入院へと切り換えられてしまいました。

でもいまさら、縋り付くほど大切なものは私の周りにはもう残っていなかったので、病気だと分かっても、それほど精神的には堪えてはおりません。むしろ私が起き上がれなくなる前に、少しでも元気なうちに、あなたに一度お会いできたら、というのがささやかな私の希望であります。自分の病気を盾に、あなたに会いたいというのがどれほど狡《ずる》い手か知りながら、このような試すような手紙を認《したた》めてしまい本当に申し訳ありません。

いつも謝ることしかできない自分が辛い。でも、どんな手段を使ってでも今会わなければきっと私の一生は後悔だけで終わってしまいそうで。勇気を出してこうして手紙を書いている次第です。

だけれどもどうか哀れまないでほしい。私はもしあなたに会えなくとも、自分の一生を優雅に思い出すことはできるのです。あなたと出会って別れるまでの四ヵ月間は確かに切なく苦しい期間ではありました。しかし、それは何物にもかえることができないすばらしい思い出の一時ではありました。あの頃のことを思い出すのが今の私の日課の全てだといっても構いません。あの時の二人のことを思い出すたびに、私はあなたが私の人生に意味をつけてくれたことを感謝せずにはおれないのです。

あなたが私の人生に与えてくれた幸福を今日まで、苦しみながらではありますが、大切に持って生きてこれた、このことこそが私の人生の意味でもありました。

覚えていますか。腕を組んでよく黄昏《たそがれ》のパッポンを歩きましたね。野球で鍛えたあなたの肩に頭をちょこんと凭《もた》れて歩くのが好きでした。サマーセットモームスイートで迎える長閑《のどか》な朝と差し込む太陽の光、テラスで食べる朝食、私達が零したパンの屑《くず》に集まる小鳥たち、エレガントに流れる川の上を人々をすし詰めにしてボートが行き来していくのを、二人はよくぼんやりと眺めていましたね、でもあなたとは一度も水上バスに乗ったことはなかった。私達はとにかく歩くのが好きだったから。どこへいくにも歩きました。そこら中で光が跳ねていて、二人はいつまでも異邦人でした。幻想の中に生きているようだった。

夜はバーで、体を寄せ合いながら深酒の日々でした。私、随分とあなたに甘えましたね。アユタヤの遺跡の頂上で、私はあなたと様々なことを話しました。自分のことを全て伝えたのはあの時が初めてだった。それまではどこかであなたを警戒していたのです。でもあの時から私はあなたが本当に欲しくて仕方がなくなった。黄金の寝室のベッドの上で私はあなたに愛された。愛という言葉をお互い決して口にはしなかったけれど、肌を通り抜けるほどにあなたの気持ちは私に届いていました。私もあなたにそれ以上の気持ちを届けていたはずです。

あなたは沢山迷っていらしたけれど、それはあなたの誠実さの現れだと思う。あなたが迷って苦しんでいる姿ばかりを思い出します。好青年をあんな目にあわせた私は悪い女でした。でも好きになったのだから仕方がない。愛してしまったのだから仕方がありません。これは理屈ではない。生そのものなのです。

私がバンコクに戻ってきたのも、あなたとの思い出がここには沢山残っているから。ここにいるかぎり私はあの日のあなたと会うことができる。孤独な人生でしたが、私は一人ではありませんでした。いつも光や影の中にあなたの幻を見つけていました。

バンコクでのあの四ヵ月間の思い出を持って、この世を去ることができる。それはつまり私だけに与えられた最良の財産でもあります。ありがとうございました。脈絡のない手紙になってしまいましたが、最後まで読んで頂けて嬉しく思います。もう覚悟は出来ています。もしも会えることなら、もう一目だけあなたにお会いしたい。会えたなら、私は今より少しだけ幸せになることができます。かしこ。

真中沓子

東垣内豊さま

拝復

最初の手紙を頂いた後、すぐにお返事を出せなかったのは、仕事の理由ばかりではありません。いったいなんと言ってあなたを励ませばいいのか、言葉を詩人のように紡ぐことができず、私なりに苦しんでいたからなのです。

あなたとの再会の後、手紙を頂いておりながらお返事を出さなかったのも同じ理由からです。さらに具体的に言うならば、今の自分にあなたを救う力などない、と考えたのでした。しかし、実際には毎日、あなたのことを考えておりました。いえ、この数年間だけではありません。この三十年間、私は家族と幸福に生きている最中も、ずっとあなたのことを考えていた。それが私にはとても罪なことでした。家族にも申し訳ないと思っていました。あなたと二十五年ぶりに再会を果たした後、その心に再び火が点いてからはいっそう自戒する日々を送っていたのです。

いまこうして手紙を認めながらも、激しい焦りの中に私はいます。いったい自分に何ができるのだろうか、と考えては、机に向かって悶々《もんもん》としている自分に吐き気を覚えます。でももう迷うことはできません。あなたが病気と戦っていることを知った今、私はやっと迷いをぬぐい捨てることができました。

私はあなたが好きだった。あなたを愛していた。あなたを抱いたあの時期は嘘ではなかった。それは別れて時間が経てば経つほどに、強くなっていく。人生の残り時間がどんどん短くなっていけばいくほどに気がついていくことでした。

人生のほんの一時しか一緒に過ごさなかったのに、一生忘れられない存在というものがあるのですね。あなたとの時間は私の中で永遠なのです。何物とも比べられないくらいに永遠です。

私は仕事に疲れ、誰とも会いたくないとき、ホテルオークラの行きつけのバーの一番奥の席でグラスを傾けながら、あなたを記憶から取り出しては横に座らせ、その幻を相手に酔ったものです。幻のあなたは出会った時の輝いた瞳でこう言います。

「おい、好青年、そんなことで苦しむなんて君らしくないよ」

この三十年、あなたはいませんでしたが、あなたの思い出はいつも私と共にありました。オリエンタルホテルでの再会は確かに神の導きでしょう。信仰心の全く無い私でしたが、残念ながら、いや、幸福なことに、あなたを通して神の存在を認めないわけにはいかなくなりました。あなたと会えた事実。これは尊い者の、目に見えないお力によるものだと思えてならないのです。

だから、どうか、私を許して下さい。あなたを幸福に導けなかった私をどうか許して下さい。折角神に導かれたのに、すぐにあなたの元へ行けなかった私を許して下さい。あなたをあの時、三十年前、東京に追い返した私を、どうか、どうか、許して下さい。五年前、あなたの家まで会いに行かなかった私をどうか許して下さい。迷いつづけた私を、どうか、許して下さい。

あなたを愛していました。

好青年

真中沓子さま

第五章

さよならいつか。

東垣内豊がバンコクを訪れたのは、沓子から手紙が届いて三週間が過ぎた八月の初旬のことである。有給休暇などというものを使ったのは副社長という役職についてからはじめてのことであった。建前上、欧米の会社を見習って、イースタンエアーラインズでも長期休暇を奨励していたが、副社長ともなれば、社員たちのように気軽に休みを取るのは難しい。実際、友人が不意に死んでも、全ての人の葬式に顔を出すことは不可能なくらい、次から次に難題が待ち受けていた。副社長として、この新体制の中、気を緩めるわけにはいかなかった。豊が一日仕事を休めば、それだけ多くの問題において会社的な空白が生まれることになった。人生最大の大勝負にでなければならないこの時期に会社を留守にするのはあまり歓迎されない事態であった。
しかし今度ばかりは豊も迷う暇はなかった。沓子があそこまで伝えてきたことを考えると、相当危険な状態に違いなかった。同じような後悔を、しかも今度だけは後戻りが不可能な後悔になりかねないのである、そういうものを人生の中で二度経験したくはなかった。豊は迷わず、秘書の笠井にある程度の事情を説明することにした。これればかりは本当のことを伝えないわけにはいかなかった。笠井は信用のおける人物だったし、社内では誰よりも豊の人となりを理解していた。笠井は深いところまでは何も詮索をしなかった。ただスケジュールの調整をし、会社に迷惑がかからないような日程を組み、豊が憚《はばか》ることなくタイに行けるよう綿密なセッティングをした。現地の新居にサポートをさせましょうか、という笠井の提案を、これはプライベートな問題だから、と豊は辞退した。家族には仕事ということにしておいた。隠せる限り内緒にしておきたかった。

五年ぶりのバンコクだったが、豊はもう懐かしむ余裕はなかった。一秒でも早く沓子に会いたかった。手紙を受け取ってから三週間が過ぎている。病状がどれほど悪化していのか心配で仕方がなかった。手遅れにならなければいいのだが、と呼吸をするたびにため息が肺から零れ、悲しみが胸を抉《えぐ》った。

ザ・オリエンタル、バンコクのスタッフに沓子を見舞いに来たことを告げると、若い日本人スタッフが沓子が病院から自宅療養に移ったことを伝えてくれた。回復の兆《きざ》しがあるのですか、と訊くと、若い女性は首を真横に一度振り、暗い表情で、その逆なんです、と返事を戻してきた。

ホテルが車を手配してくれて、若い日本人スタッフが同乗し、東垣内豊は真中沓子の家へと向かった。何もしなくとも汗が次から次に流れ出て、シャツを濡らしていく。同じように何もしなくとも涙が眼球を濡らし、瞬《まば》きをするたびに雫が頰を伝った。

光が心なしか白く感じられた。街全体が白く発光しているように見える。まるで記憶の中を退行していくような不思議な感じに見舞われた。

沓子の家まで向かう途中、豊は懐かしい街並みをじっと見つめることしかできなかった。そこかしこにやはり若い頃の自分たちの影があったが、それは陽炎《かげろう》のように車が近づくとすっと消えてしまう儚《はかな》いものであった。

沓子の家はチャオプラヤー川を越えた対岸のとても静かな住宅地の外れにポツンと

あった。庭が川に面しており、そこには小さなプールもあって、椰子が幾本も生えては空を隠し、穏やかな風がそよいでいた。想像したよりもずっと立派な洋風の建物であった。

玄関に出迎えたのは沓子が雇っているタイ人のメイドだった。小太りで日本語の達者な女は、住み込みで沓子の世話をしていた。メイドは「ここ数日、痛みが酷く、食事も喉を通らない状態で」とホテルの女性に向かって近況を報告した。豊が簡単に自己紹介をするとメイドは目を丸くして、豊さんですか、東垣内豊さん、と声を張り上げた。

「沓子様からよく聞かされていました」

豊が小さく頷くと、隣でホテルの女性が好奇心に駆られて、どういうこと、と訊いてきた。メイドは話してはまずいのではないか、と指示を仰いだが、豊は、大丈夫、という意味を込めて微笑んでみせ、

「彼女は僕のことを何と君に言っていたのかね」

と逆に質問を返した。いいんですか、言っても。もう一度念を押すようにメイドは豊に確認を求めた。ここまで来て隠すことでもあるまい、と豊は力強く頷いてみせた。

「忘れられない人だと言ってました。遠い昔、命を懸けて愛そうとした人だった、と言ってました。別れてからもずっと心の中にあった人だった。その人のことだけを思って生きてきたのだ、とも言ってました。癌だと分かって気弱になったのか、このところ毎晩、あなた様のことを話すのです。昨夜も、あなた様と沓子様が出会った時のことを聞かされました。私に聞かせるというのではなく、自分に言い聞かせるような感じで……」

そうですか、と豊は呟いたが、それ以上を言葉にはできなかった。

「ああ、どうしよう。でも、まさか、豊様が来られるなんて。どう沓子様にお伝えしていいものか」

「どうして？　すぐに教えてあげたらいいんじゃないかしら」

ホテルのスタッフが言うと、しかし、とメイドの顔が暗くなった。

「沓子様は人一倍気になさる方です。心配なのは、今の彼女はもう人前に出ていける状態ではないんです。そのことを彼女が一番自覚している。だから病院を出て、ここで死を迎えようとしているんです。抗ガン剤の影響で、髪も抜けているし、げっそり窶れているし、とても東垣内様に会いたいとはおっしゃらないでしょう」

「何を言ってるの。折角ここまで会いに来たというのに」

「ええ、分かっています。でも」

豊は、メイドの肩を摑んで、大丈夫、と優しく声をかけた。

「私はね、沓子の魂に触れに来たんだ。彼女の存在に触れるためにここまで来た。そう伝えてほしい。会えなければ、きっとお互い一生後悔する。どうしても会わなければならないから、ここまで来たんだとね」

それから、豊は一時間近く居間で待たされることとなった。ホテルの女性スタッフとメイドが手伝って、沓子は化粧をした。抜けて細くなった髪を綺麗に整えた。持っている服の中で一番華やかな服を着た。沓子が力を振り絞って、何度も服を着替えている様子が豊の目には浮かんでいた。あの黄金の寝室で彼女がしてみせたファッションショーのような光景が繰り広げられているに違いなかった。

豊が寝室に案内されると、ベッドの上に沓子が腰掛けていた。明るめの頬紅をつけてごまかしてはいたが、青白い顔は誰が見ても一目で病人だと分かるくらいにげっそりと窶れ、生命感がすっかり消え失せていた。精一杯無理をしたのが伝わってきて、豊は、彼女をまっすぐに見ることができない。涙がどんどん流れてきては視界をぼやけさせていく。なんとも沓子らしい、と豊は心の中で叫んだ。最後まで、プライドの高い人でいようとする姿に、豊ははじめて会った時の沓子の姿が重なった。経済成長をはじめたバンコクの街を派手な服を着て歩いていた沓子。普通なら厭味に映るその姿が逆に、バンコクの人々に光を与えていた。すれ違う女性たちが、いつかは自分たちもああいう恰好で美しく優雅に歩いてみたい、と思わせた。その前向きな派手さ、気取らず、しかし艶やかな存在こそが、沓子の沓子らしさであった。

今、目の前にいる沓子は病気に冒された敗者ではなかった。どんな時も自分を精一杯見せようとする挑戦者なのだ。

豊は涙を拭った後、周囲の目も憚ることなく沓子の手を握った。そして、

「会いに来たよ」

と告げた。

沓子は目に涙を浮かべたまま微笑み、小さく頷いた。すっかり頬もそげ落ちて、顔は半分ほどの大きさになっていた。それでも目には強い光が宿っており、視線はまっすぐ豊に届けられている。

ホテルの女性とメイドは気を使って、外に出た。豊はもう一度沓子の手を握り、

「会いたかった」

と告げた。

沓子の肉体はもはや地面に舞い降りた落ち葉のよう。風が吹けばどこかへ飛んでいきそうな薄さで、なんとかベッドの端に張りついているという感じであった。

「来てくれると思っていた」

沓子は精一杯の声を振り絞ってそう告げたが、その声は弱々しく掠れており、やっと声として届く程度のものであった。

「でも時間がかかってしまった。すまない」

「いいのよ。来てくれたんだもの」

「迷った自分が情けない」

「立場があるでしょ。副社長なんだから簡単に仕事を休むことは許されないでしょ。こうしてここまで来て頂けただけで、会社にどれほどの迷惑がかかっているかも分かります。私のために、またご迷惑をかけてしまい、申し訳ありません」

「そんなことはない。立場なんか、仕事なんか、君の命の重さに比べたら」

「私みたいな過去の人間にいつまでも関わってもらって感謝の言葉さえも浮かばな

い」

「そんな悲しいことは言わないでくれ。僕にだって、何が大切かぐらいは分かる」

「何が大切なの」

沓子は悪戯っぽい顔をして訊いてきた。

「それは過去だ」

豊が力んで言うと、沓子は軽く咳き込んだ後に、呟いた。

「好青年」

それからまっすぐに豊の目を見て、沓子は力を込めて言った。

「好青年め！　相変わらず君は好青年でいる気ね」

豊は目頭を押さえた。沓子の目元に微笑みが浮かんでいる。

「私はあなたのそこが好きだった」

不意に彼の脳裏を懐かしい記憶たちが一気に駆け抜けていくのだった。出会い。日々。匂い。恋。愛。別れ……。肺が苦しくなって、東垣内豊は胸の辺りを押さえて息を吸った。自分の肉体と魂が分離しそうな息苦しさに見舞われた。心臓の動悸が激しくなり、彼女が二重に見えた。

「どうしたの？」

「なんでもない。ちょっといろいろと昔を思い出して、胸がいっぱいになった」

「まるで高校生のように？」

「生涯最高の日々だった」

「そうね、最高の日々でした」

「あんなことはその後、二度となかった」

「ええ、私にもなかった」

「あの目茶苦茶な日々」

「やんちゃでしたね」

「愛して」

「……愛されたわ」

豊はやっと微笑み返すことができた。沓子が骨と皮だけの手で豊の手を握り返す。

彼女の頬を一粒の涙が流れ落ちていく。ゆっくりと瞬きをするごとに、涙が頬を滑った。

「こうして、最後にあなたを目の前にしていると、まるであなたと私はあの時、別れないで、その後結婚をしてずっと伴侶として生きてきたような感じがする。あなたが私の夫だったように思う。あれからずっと一緒にここで暮らしていたような気がする。苦しくて、寂しい人生なんか生きなくて、幸福で楽しい日々を生きてきたような気がする」

豊は涙を堪《こら》えた。ああ、そうだな、と返したが、涙声だけが室内に響いていっそうやる瀬なくさせた。

「君の言う通り。僕たちはずっと一緒だったのかもしれない。僕はいつだって君のことを考えていた。二人は別々の世界で生きていたがやはり強く繋がっていたのだろう。強く繋がっていた」

「ありがとう、来てくれて。これで私の人生に意味がついた」

「ああ、僕の人生にも意味がついたよ」

二人は手を握り合った。それから、少しの躊躇《ためら》いの後、どちらからともなく顔を近づけ合って、静かに口づけをした。僅かに数秒の、節度ある接吻であったが、豊にも沓子にもとてつもなく長いキスに感じられた。まるで自分たちの肉体が若返っていくよう。永遠に不滅のものを手に入れたような至福感に浸ることができた。

唇が離れると、まもなく沓子が瞼を閉じた。眉間に寄った皺が苦しそうに見えた。

大丈夫かい、と豊が問うと、

「ちょっと疲れたわ」

と沓子は答えた。

「折角来て貰ったけれど、今日はここまで。少し休ませてほしい」

豊がメイドを呼ぶために立ち上がると、その背中に向かって、

「愛しているわ」

と沓子が言った。声のほうを振り返ると、沓子の瞳が静かに開くところであった。

口許に笑みを拵え、もう一度、愛しているわ、と言った。

豊は、

「愛している」

と返事を戻した。それは過去形ではなかった。

沓子は納得をした顔で、一つ大きく頷き、それから再び目を閉じた。彼女の顔には窓越しに、柔らかい光が届いていた。それは彼女の皮膚の上にゆるやかな木漏れ日の斑《まだら》模様を拵えていた。外で風がそよぐたびに、南方の樹木は揺れ、室内もさわさわ

と動いた。風が二人の間を通過してゆく。アユタヤの遺跡の頂上で感じたあの風に似ていた。豊は深く空気を吸い込み、それからそれをゆっくりと吐き出した。そこには穏やかな時間の川が横たわっているように思えた。川面《かわも》は深緑色をしていて、流れは遅かった。彼女を乗せたボートが一隻静かにそして堂々と、緑生い茂る対岸を目指しているように感じられた。

豊が日本に戻って二週間後、沓子が死んだという知らせが届いた。差出人はザ・オリエンタル、バンコクのあのドイツ人支配人であった。丁度、会議が終わって、自分の部屋に戻った時のことだった。メッセージを手渡した秘書は、どうしますか、と静かに訊ねた。体調が優《すぐ》れないという理由で、午後の打ち合わせを全てキャンセルにしましょうか、と笠井が提案した。しかし豊はそれを固辞した。

「大丈夫、三十分だけ、次の会議を遅らせてもらえればそれでいい」

笠井は、分かりました、と告げ退室した。

副社長室の椅子に深々と腰を沈めたまま、豊はゆっくりと思い出を反芻《はんすう》してみた。まだ彼女が生きているような気がしてならなかった。頭の中には、派手な服を着た若々しい沓子がいた。それは出会ったばかり、恋に夢中になっていた頃の二人の姿であった。

彼女は爪先立って背の高い豊に抱きつきキスをした。皮膚には弾力があり、瑞々しかった。息は甘く、絡まる舌先はほどよく柔らかかった。

「どうする、これから」

沓子が明るい生命力溢れる声でそう告げた。カラフルな色のノースリーブのシャツから、突き出た美しい腕が豊の太くて逞《たくま》しい腕に絡みついてくる。豊は沓子の二の腕が好きだった。柔らかくてすべすべした二の腕をわざと力任せに摑んでは、柔らかい、マシュマロみたいだな、とからかい、彼女を怒らせるのがまた同じくらい好きだった。

「ちょっと。幾ら好青年だからって、公衆の面前でこんなことしていいのかしら」

「いいさ、こんな破廉恥な服を着ているほうが悪い」

「言ったな」

沓子に追いかけられながら、豊は幸せだと感じていた。二人はバンコクの眩《まばゆ》い路上で抱き合った。周囲に日本人がいないか確認をして、素早くキスをした。無謀で、大胆で、激しく瞬間に生きた二人。

「ああ、なんてことをするの」

「なんてことって?」

「どうしてそんなキスをするのよ」

「どうしてって」

好きだからだ、と言いかけて豊は口を噤んだ。決して口にしてはならない言葉があった。好き、だとか、愛している、だとか、その類の言葉を豊は用心していた。一方沓子はその言葉を豊の口から引き出そうと狙っていた。二人は駆け引きの日々にいた。恋の綱引きに明け暮れていた。向こう見ずで、激しく、そして甘美な瞬間を生きた二人。

「理由なんかいらないだろう」

「なんで? 理由が知りたいわ。なんにでも理由はあるものよ。君のその濃厚な口づけにも意味があるはず」

「好青年だから、では駄目かな」

「ずるい。なんでも好青年で片づけようというわけね」

「ああ、僕は好青年だ。なんでも許される年頃だから」

「ずるいぞ、好青年」

杳子は強く豊に抱きついてきた。豊も笑いながら杳子を抱きしめた。いつまでもそうしていたかった。いつまでもいつまでも抱きしめていたかった。永遠というものが存在しないことを薄々知っていながら、豊はこの尊い一瞬が死ぬまで続くことを鈍感に願った。

「今、何を考えているの？」

豊は杳子に頬を押しつけて言った。杳子が豊の耳元で囁く。

「死んでも、きっと君のことを忘れないんじゃないかなって思った」

杳子は豊に腕を回したまま豊の顔を覗き込んできた。大きな瞳の中に自分が映っているのを豊は知った。眩い太陽の光と一緒に自分がそこに映っていることを喜んだ。火傷《やけど》しそうなくらい世界は熱かった。その熱情の中でだけ、二人は強く存在することができたのだった。

「私もよ」

杳子ははっきりと告げた。

「でも未来のことなんか考えないで。私たちには今しかないんだから」

「ああ、知ってる」

「だから、抱いてよ。今ここですぐに抱きしめて。今ここですぐに一つになりたい」

豊は沓子を力のかぎり抱きしめた。自転車やオート三輪車トゥクトゥクやバイクが行き交う道の真ん中で激しく抱き合った。垂直に差す太陽の光を浴びながら、キスを何度も何度も交わし合った。皮膚と皮膚が擦《す》れ合って、魂と魂が勢いよくぶつかり合い、熱情の炎がふき上がった。それは枯れることがない油田の吹き上がる炎のようだ、と豊は感じていた。

まだ二人には時間がある、と豊は思った。どんなに浪費しても尽きることのない豊富な時間がある、と思った。無尽蔵に広がる世界があると思った。限りない人生があると思えた。見上げるとそこには中空を焦がすあからさまな太陽が一つあった。眩《まぶ》しいことが嬉しかった。眩しすぎる光に目が麻痺して何もかもが白濁するまで、二人でそれを見上げていたかった。

いつまでも沓子が傍にいるような気がして仕方がなかった。

この作品は二〇〇一年一月世界文化社より刊行されたものです。

幻冬舎文庫

●好評既刊
さよならまで
神崎京介

知人の目撃情報で知った、彼の浮気。32歳OL・沖田智美は激しく問い詰めるが、相手は嘘で誤魔化そうとするばかりだった……。アラサー女の嫉妬、プライド、寂しさを描いた傑作恋愛小説!

●好評既刊
さよならから
神崎京介

男の浮気が原因で失恋したアラサー女・沖田智美。アルバイト先の銀座のクラブで偶然、元彼の勤める会社の常務と知り合うと、智美は肉体関係を持つ代わりに元彼を左遷するよう要求した……。

●好評既刊
悪夢のギャンブルマンション
木下半太

一度入ったら、勝つまでここから出られない……。建物がまるごと改造され、自由な出入り不可能の裏カジノ。恐喝された仲間のためにここを訪れた四人はイカサマディーラーや死体に翻弄される!

●好評既刊
ラスト・セメタリー
吉来駿作

8人の高校生が、死んだ仲間・葛西を甦らせようと死者復活の儀式・キタイを行う。それから18年後、葛西は復活するが、それは死者による惨劇の始まりだった。ホラーサスペンス大賞受賞作。

●好評既刊
上原ひろみ サマーレインの彼方
神舘和典・文
白土恭子・写真

本場ジャズメンも絶賛するピアニスト、上原ひろみ。パワフルな演奏とはじける笑顔の裏には、常に全力を尽くす努力があった。若き音楽家の原点とさらなる魅力に迫る情熱のノンフィクション。

サヨナライツカ

辻《つじ》仁《ひと》成《なり》

平成14年7月25日　初版発行
平成24年9月10日　50版発行

発行人――石原正康
編集人――菊地朱雅子
発行所――株式会社幻冬舎
〒151-0051東京都渋谷区千駄ヶ谷4-9-7
電話　03(5411)6222(営業)
　　　03(5411)6211(編集)
　　振替00120-8-767643
印刷・製本―中央精版印刷株式会社
装丁者――高橋雅之

検印廃止

幻冬舎文庫

ISBN4-344-40257-X　C0193　つ-1-4